ニセモノどもが着飾る――その空虚も知らずに
ブギーポップ・ウィズイン
さびまみれのバビロン
"PARADIGM RUST"
上遠野浩平
Kouhei Kadono
イラスト●緒方剛志
Kouji Ogata

何も想い出せない私は
自分の気持ちも忘れて
誰が好きで嫌いなのか
心の向きもわからない
あなたを信じたいけど
その想いも不鮮明かも

何も決めたくない私が
信じてるのは一つだけ
心の中の君だけが灯火
君が導いてくれる道を
辿れなくなったら私は
きっと奈落に転落する

何も許したくない私の
心に刺さった苦い影は
彼と彼女の絆について
真実か妄想か確かめず
ただすべてを認めずに
彼への想いも拒絶する

錆びた屑でも本物になる――想像力《イマジネーション》さえあれば

Design:Yoshihiko Kamabe

で、王様はブギーメンに言ったのさ
「そのリズムを捨てちまえ」ってな

――ザ・クラッシュ〈ロック・ザ・カスバ〉

「あなたは、夢はなんでできていると思う？」

少女は静かに問いかけてきた。私は彼女の言わんとすることが計りかねたので、黙っていた。

すると彼女はくすくすと笑って、

「そんなに難しい質問じゃないわよ？　夢みるためには二つのことが必要で、それは誰にでもあるものよ」

彼女はいつも悪戯《いたずら》っぽい話し方をする。それはふわふわと重さがなく、何に由来しているのか定かでない。

「ひとつは未来――すべての夢は未来に向かっている。その行き先がない夢は夢にならない。ただの泡沫《うたかた》として消えていくだけ。そしてもうひとつが――なんだと思う？」

彼女はずっと穏やかな微笑《ほほえ》みを浮かべ続けている。彼女はいつも笑顔で、それ以外の表情を見たことがない。苦痛に歪むことがあるとは想像もつかない。

私が無言でいると、彼女はウインクして、

「もうひとつを、これからあなたたちは体験することになる。ただし行き先をなくしているから、それが夢になることはなく、ただ散っていくだけ――ふふっ」

彼女は笑っている。どうして笑うことができるのか、私にはわからない。

「忘却《ぼうきゃく》――それが夢に必要な、もうひとつの条件。人はどんなに失敗しても、どんなに不可能だと思い知っても、いつかそれを忘れる――そして反省することなく、何度でも同じことを繰り返す。過去を忘れることなくして、夢は未来に繋がっていくことはない――それが善いことか悪いことか、そのことさえも忘れる。救いでもあり、哀しみでもあり、そして徒労のもとでもある。未来を想いつつ、色々と忘れていくこと――それが人が生きるということ」

　ここで彼女は、私を見つめてきて、

「あなたたちは、これから私のことを忘れる」

　と断言した。私が、そんなことはない、と言うと、彼女は首を横に振って、

「そういうことではないのよ――あなたたちの誠実さの話をしているのではないの。薄情とか、裏切るとか、そういう次元のことではない――私という可能性が世界から消えてしまうと同時に、私は、そう……〝なかったこと〟になる。それが私の末路《まつろ》」

　穏やかなその口調は、とても自分の最期について話しているとは思えない。

「あの忌々《いまいま》しい死神に追いつかれてしまった……私の道はここまで。私が求めてきた未来は運命に弾《はじ》かれて、拡散して消える。世界の壁を突破することができなかった。だから私も、忘れられていく」

　彼女はゆっくりと歩き出す。

「みんな忘れていく。忘れられないものなどこの世には存在しない。どんなに讃えられたものでも、どんなに憎まれたものでも、いずれは忘れ去られ、そして消えていく。あなたたちは誰一人として、私のことを覚えていることはできない――私はあなたたちの心から消える。あなたたちが後から知ることができるのは、せいぜい水乃星透子《みなほしすいこ》という少女が死んだということぐらい……私たちが近づこうとした真実からはほど遠い、薄っぺらな記憶だけ――いずれはそれも、どこかに紛れて消えてしまうでしょう」

彼女は足を停めず、私から離れていく。しかし私はそれを追いかけることができない。

それでも私は、彼女の背中に向かって声を上げた。

忘れない。

どんなことがあっても忘れない。

どんなことをしても、忘れない。

あなたのことを覚えているために、私はどんなことでもする――と。

すると彼女は振り向いて、首だけを私の方に向けて、そして――少しだけ寂しそうな眼差《まなざ》しになって、

「いいえ……それはもう、違うわ。私のことでも、あなたのことでも、もちろん新しい世界のことでもない――あなたの〈パラダイム・ラスト〉が何をしようと、消えてしまった可能性を取り戻すことだけは、決してできないのよ。未来の展望も、過去の忘却もないあなたが手に入

れようとするのは、錆び付いてしまった夢の残骸《ざんがい》……やめておいた方がいいわ」

まだ訪れていない未来のことを、とっくに起こってしまった過去のことを振り返るように、彼女は静かに、諭《さと》すように言うと、闇の向こうに消えていった。

彼女を殺しに来た死神と対面するために、まっすぐに進んでいった。

その後ろ姿を、私はまだ覚えている。

しかし、それ以外の数々を、大半を、既に私は失ってしまった。

だがそれでも、私はまだ彼女の寂しげな微笑を覚えている。この記憶がなくならない限り、私は——

ブギーポップ・ウィズイン

さびまみれのバビロン

BOOGIEPOP WITHIN

"PARADIGM RUST"

blank／1——記憶／喪失

……この“死神”には個性がない。
他の都市伝説のような、他と差別化する際立った特徴がない。
少年とも少女とも言われ、中には黒帽子に黒いマントを着ているという、
適当にでっち上げたような話すらあり——

——早見壬敦〈仮称ブギーポップ〉

1.

眼《め》が醒《さ》めたときにはもう、違和感があった。

（あれ……？）

なんだか不鮮明だが、とにかく何かがおかしかった。

身体《からだ》をもぞもぞと動かすと、ベッドが揺れてかすかに軋《きし》んだ音を立てる。その音にもざらつくような不安を覚える。

視界はオレンジ色の毛布で占められていたので、顔を動かして天井を見る。部屋を見回す。

「…………」

それほど広くない部屋で、机があり、本棚があり、クローゼットがある。ベッドから下りてみると、薄いグリーンのパジャマを着ているのがわかった。

そして、部屋の真ん中のフローリングの床に、ぽつん、と放り出すように置かれている物がある。スポーツバッグで、スポルディングの大きなロゴが横に描かれている。

「…………」

近づいていって、バッグをゆっくりと開く。中にはぎっしりと何かが入っている。黒い布で、広げてみるとなにやら筒のような形をしている。飾りがいくつかじゃらじゃらと付いている。

大きさからして、頭にかぶる帽子のようだった。

そして同色の、さらに大きな布が入っている。取り出して広げようとしても、両手に余るほどの大きさだ。カーテン……いや、それにしては変なところで縫合《ほうごう》が入っている。そしてボタンも並んで付いている。それを留めたところを想像すると——どうやらこれは身体全体をすっぽりと覆い隠すように包んでしまうマントらしかった。少し奇妙な匂《にお》いがした。その布地からは、錆のような金属臭が感じられる。しかし特にボタン類が錆びているということもない。薄い匂いだけだ。

黒い帽子とマント——。

どうしてそのようなものが、この部屋の中にあるのか。

「…………」

しばらく茫然《ぼうぜん》としていると、部屋の外から声が響いてきた。

「いつまで寝てるのよ。早く起きなさい。遅刻するわよ」

反射的に、はあい、と返事をして、その自分の声にもやはり違和感を感じる。パジャマを脱いでいき、クローゼットを開けて制服に着替えていく。その動作は習慣的で、腕が勝手に動いていく感じだったが、途中で剝《む》き出しになる白い肩や腹や太股《ふともも》にも、もやもやとした不鮮明さを覚える。

部屋を出て、階段を降りて、廊下を歩いて、リビングに入ると、テーブルの上にはトースト

と目玉焼きが置かれていて、さらにキッチンから、

「はい」

と紅茶の入ったカップを渡される。受け取って席について、食事を取り始める。ボウルに盛られているサラダを自分の皿によそって、頬張《ほおば》って、もぐもぐと咀嚼《そしゃく》する。

何もおかしなところはない、いつもの朝の風景――そうとしか言いようがない。そのはずである。

しかし、なんとも不自然でギクシャクとした印象がずっとつきまとっている……。

「おい母さん、ネクタイがひとつもないぞ。どこにやった？」

「クリーニングに出したわよ。前に出したのがまだ袋の中に入っててんじゃないの？」

「えーと……ああ、あった！」

賑やかな声が自分の横を行き交う。その中でどこか身を縮めながら食事を続ける。

味にはまったく違和感はない。身体に自然に入ってくる。肉体と生活に馴染みきっている味だった。それなのに彼女は、ずっと目の前にいる二人の人物に対して、こう考えている……。

（この人たち……誰だっけ？）

そして、もっと違和感の原因となる疑問がある。トーストをつまんで、ちぎっているこの手
……自分の手。それがとても小さく、オモチャのように見える。

（私は……誰だっけ？）

それが一番の不思議なのだった。

*

学校に行く——その行動自体は自然にできる。道順や交通機関の利用などに迷いがない。考えずに進める。

肩にはあのスポルディングのバッグを提げている。こんなものを学校に持って行ってもしょうがないはずなのだが、何故《なぜ》か手近に置いておかないといけないような気がして仕方がない。

「おはよ！」

声を掛けられたので振り向くと、にこにこ笑う少女の顔が眼に入る。この娘《こ》は知っている、と思った。

「おはよう、末真《すえま》」

反射的に返事をしている。娘はなおもにこにこしながら彼女の横に並んで、一緒《いっしょ》に歩き出す。

末真和子《かずこ》——この娘はそういう名前だ。それを知っている。でもどうして知っているのだろう？

「あ、あの——」

と彼女が末真に話しかけようとしたところで、さらに背後から、

「おはよう、寒いねえ！」

　という声が掛けられた。さらに少女が並んできた。こっちの娘の方は――想い出せない。しかし末真はにこにことそっちにも挨拶を返す。仕方ないので彼女も、おはよう、と返事をする。

「なんかさあ、昨日の宿題って異様に難しくなかった？　全然理解不能だったんだけど」

「そんなでもなかったわよ。前にほとんど同じ問題が小テストでも出てたし」

「うわあ、これよ。これが末真よねえ――博士にはまったく敵《かな》わないわ」

「だからさ、その博士ってのやめてくんない？」

「悔しかったら、私並みに頭悪くなってみなさいよ」

「どういう言いがかりよ、それ」

　二人の少女はけらけら笑いあっている。とても仲がいいみたいだ――そして、自分もその輪の中に入っているらしい。

　どうしようと考えつつも、彼女は二人と一緒に登校する。大声で、私は誰ですか、と叫びたいような気がするが、しかしそんなことをしたら、

（色々とまずいような気がする……）

　という奇妙に深い実感がある。みんなに変な眼で見られることに耐えられない予感がある。

　どうすることもできないまま、彼女は校門をくぐって、下駄箱のところまで来た。やはり自分がどこに行くべきなのかはなんとなくわかっていた。末真ともう一人の娘とはクラスが違う

らしく、分かれることになったが、それでも迷うことなく自分の上履きが入っているところに直行できる。身を屈《かが》めて蓋《ふた》を開けたところで、ふいに耳に突き刺さってくる単語があった。

〝きっと、ブギーポップよ――〟

その言葉がなんなのか、彼女は知らない。だがそれでも、その言葉はひどい動揺《どうよう》を彼女から引き出す効果があった。

びくっ、と思わず身体を引きつらせて身を起こす。その単語を口にしていたのは近くで立ち話をしている女子生徒たちだった。ひそひそと、にやにや笑いながら囁《ささや》きあっている。

「――だって、黒ずくめだったんでしょ？」

「うんうん、それって死神っぽいよね」

「誰か狙ってたんじゃないの？」

「もしかして、あんただったりして」

「やめてよ。別に私は今、人生で一番美しくなんかないし――」

「いや、そんなんでも、ピークなんじゃない？」

「どういう意味よ、そんなん、ってのは」

……妙に濃厚な空気が漂っている。彼女はぼんやりとその話を聞いていたが、向こうの方か

ら男子が数人走ってきて、

「なんだよ、女子だけでこそこそ何喋《しゃべ》ってんだよ？」

「面白いことでもあんの？」

と女子たちに訊《き》いてきたが、彼女たちは一斉に顔をしかめて、

「うるせー、なんでもねーよ」

と、あからさまな拒絶をした。とりつく島もない。その話題はひたすらに女子の間でしか交わされないようだった。

（…………）

自分が横で聞いていたことはわかっていたはずだが、そっちにはほとんど関心を寄せられなかったということは、女子であれば誰でも知っているようなこと――なのかも知れない。有名な噂《うわさ》のようだった。

ブギーポップ。

黒ずくめの死神。

その人が人生で一番美しいときに、狙う――狙って何をするのか？

「…………」

肩から提げているスポルディングのバッグの端を思わず、ぎゅうっ、と握りしめている。

黒ずくめ――それはもしかして、この帽子とマントのことではないのだろうか？

2.

授業は、なんの問題もなく受けられた。以前の授業の内容も把握している……しかし先生たちに見覚えは一切なく、その話し方にも違和感を覚え続ける。開いたノートに書かれているのは自分の字なのかどうか不鮮明だったが、後から書き込むとほぼ同じ筆跡《ひっせき》である。しかし席に着いている体勢や周囲のクラスメートたちにはひたすら馴染みがない。緊張に晒《さら》されて、だらんと弛緩《しかん》した教室の空気の中で、ひとりだけ針山の上に座らされている気分だった。

昼休みになり、別に誰も一緒に食事を取ろうと言ってくる者もいないので、彼女は唯一《ゆいいつ》、名前を記憶していたあの末真和子に、

(会いに行こう——)

と思った。弁当を持って友だちのクラスに行くというのは、きっとそれほど不自然な行動ではないはずだ。ほんとうに一緒に食事をとるつもりはなく、とにかく会って話をしてみたかった。そこには彼女の精神にあるこの奇妙な欠落を解き明かすヒントがあるかも知れない。

(行こう——きっと受け入れてくれる)

彼女はできるだけさりげない様子《ようす》を装って、バッグを抱えて教室から出た。

同学年なのだが、彼女と末真では選択しているコースが異なるため、校舎も離れている。

（コースを選択——私はいつ、道を選択したのだろう？）

学校の構造も廊下の方角も頭に入っていて、何も考えずにすいすいと進める。傍目《はため》からは、まったく怪しまれることはないだろう。

怪しんでいるのは、彼女自身だけだった。

（何も知らないのは、私だけ——）

どうしてそういうことになっているのだろうか。せめてどこから曖昧《あいまい》なのか、その境界線が知りたい。

だが、せっかく会いに行ったのに末真和子は彼女の教室にいなかった。どこにいるのか、他の生徒に訊くのは勇気が出なかった。仕方なくすごすごと引き下がる。どこに行ったのか、その見当は付かなかった。末真のことも名前はわかっても、どういう行動半径で生活している少女なのか、今ひとつわからないようだった。それほど親しい訳ではないのか。でもそれにしては彼女のことを思うと少し安心する気分もあるし——と、とぼとぼ歩いていたら、彼女は気づいたときには階段を上って、屋上に続く扉の前に立っていた。

「…………」

ドアのノブに手を掛ける。あっさりと開く。本来ならばこの学校は少し前に飛び降り自殺した生徒がいるので、屋上は封鎖されているはずだったが、どういう訳かこのとき、彼女の手の中でそのロックはあっさりと解けていた。

何も考えずに、彼女はふらふらと屋上に出る。

「ふう――」

ため息をついて、出っ張りに腰を下ろす。誰も来ないだろうから、ここでお弁当を食べてしまおうか、と思いつく。バッグを開けたところで、北風が吹いてきた。ぶるるっ、と身震いする。寒いな、と感じて、そして弁当箱の下に詰められている黒い布に目が行く。

(着てみる、かな――)

おずおずと取り出して、その黒帽子とマントを身にまとってみる。身体は全部隠れてしまい、帽子も眉毛《まゆげ》より下まであるくらいに大きい。予想以上に暖かい。風の冷たさは全然、苦にならなくなった。

(やれやれ――)

弁当箱を開けると、中には小さな可愛《かわい》いおにぎりとウインナー、それにほうれん草のソテーなどが入っていた。だがそれを見ても、心の中にはなんの感懐も湧いてこない。箸《はし》はなくてフォークが添えられている。手にして、くるくると回してみるが、手に馴染んでいるような感触はない。

(なにか、ズレがある……)

知っていることと知らないことがあるのは何故だろう?

「ふう――」

考え込んでも答えは見えない。またため息をついて、フォークをウインナーに突き刺す。しかし口に運ぶ気になれない。

「ふうう――ん……」

ため息のはずだった吐息が、なんだか妙な音を立てる。口笛だ。気がついたら口笛を吹いている。

「ふうん、ふんふん、ひゅひゅひゅ、ひゅうう――ひゅひゅ」

なんとなく、口笛が続く――これは自分の癖なのだろうか？

ギクシャクと時折、音が外れる――そんなにうまくはない。そもそも自分が吹いているのに、その曲を聞いているとなんだか異様に不安になってくる――しかし、やめられない。

(なんだろう、これ――)

彼女が不思議がっているとき……その異変が始まった。

曇り空に、さーっ、と墨を水面に流すように影が横切った。

びくっ、と上を向く。その視界から影はすぐに外れる。高速で飛んでいる、それは一羽のカラスだった。

カラスは空中を大きく旋回したかと思うと、その姿がどんどん大きくなっていった――こっちに接近してきた。

呼び寄せられるように――彼女はハッとなって、すぐに口に手を当てて口笛を吹くのをやめた。

しかしカラスはなおも迫ってくる……弁当箱を開けているからか、と蓋《ふた》をあわてて閉じる。

しかしカラスはそれにも眼もくれず、まっすぐに突撃してきた――彼女の顔面めがけて。

「わっ……!?」

身を屈めて、その襲撃《しゅうげき》をかわした。カラスはその勢いを維持したまま、さらに旋回して戻ってきた。

「わっ、わわっ、わわわっ……!?」

カラスは執拗《しつよう》に、彼女の顔ばかりを狙ってくる。その正確さは逆に、彼女の身体を包んでいる黒帽子とマントを避けているかのようだった。

「や、やや、嫌、嫌だ……!」

彼女はマントの合間から手を出して、顔の前に突き出した。それは意味のある動きではなかった。ただただカラスを拒絶したい、というだけの行動だった。

しかし――その無意識の動作が、劇的な反応を引き起こした。

〝カアアァ――アアッ〟

カラスが急に空中で一声鳴いたかと思うと、びくん、とその動きを停めた。それは物理法則を無視するかのような、慣性を無視した急停止だった。

まるで見えない糸に、突然、がんじがらめに縛り上げられてしまったかのように——そして、一瞬《いっしゅん》の後にカラスはバラバラになった。

最初から部品ごとに分けられている立体パズルのように、無数の破片となって空中に飛び散った。

「——え？」

彼女は何が起こったのか把握できず、ぽかん、と立ちすくんでしまう。幻覚でも見たのか——と思いたいが、しかし屋上の至るところに、飛散したカラスの死体の欠片《かけら》が落ちている。風の中に血の臭いが漂っている……その中にかすかに、また錆臭《くさ》い空気が混じっているような感じがした。

「え……」

彼女が茫然自失《じしつ》でいたのは、ほんのわずかの間だけだった。その直後だった。

ばたん、と大きな音と共に屋上から校内に通じている扉が開かれた。びっくりして振り向くと、そこには一人の女子生徒が立っていた。

両眼《りょうめ》が見開かれて、全身がぶるぶると震えている。唇は半開きになっていて、わなわなと震えている。

今のを、その一部始終を目撃していたのだ。

「え、えと……これは」

彼女は女子生徒に弁解しようとしたが、何を言えばいいのかわからない――しかし相手の方は、そんな彼女の動揺など無視するかのように、一歩、前に足を踏み出した。そして言う。

「ブギーポップ――ブギーポップだわ……ほんとうにいたんだ、ブギーポップは……」

譫言《うわごと》のように、その名前を繰り返す。そしていきなり走り出してきて、彼女の前にその身を投げ出すように滑り込んできて、そして、

「ブギーポップなら……私を殺して！」

と叫んだ。

3.

少女は狭間由紀子《はざまゆきこ》と名乗った。

「私は死にたいのよ、ブギーポップ」

彼女は熱に浮かされたような眼をしながら、迫ってきた。

「いや、でも、私は――」

ずり落ちそうになる黒帽子を押さえながら、言い返そうとするが、由紀子は聞く耳を持たずに、

「私はきっと、あなたに殺される資格があると思うわ、ブギーポップ——私の人生はもう、先がない。未来はなくなってしまっている。これ以上生きていても醜《みにく》くなるだけ。だから綺麗《きれい》な今のうちに——」

と、まるで文章を朗読しているかのように、流暢《りゅうちょう》に、一方的に話しかけてくる。

「そんなことを言われても——」

「でもブギーポップ。あなたは私を殺すしかないのよ。そうなのよ。だってあなたの秘密を私は知ってしまったんだから。決定的にあなたのことをこの眼で確かめてしまったんだから。あなたが私を殺してくれないのなら、私はあなたのことを他のみんなに教えてしまうわよ。言いふらして、あなたを困らせてしまうことになるわ。ええ、きっとそうするわ」

言葉遣《づか》いが妙に芝居がかっているというか、歌うような節をつけながら喋る。そのトーンに押されて、うまい反論が出てこない。

「えと、だからそういうことじゃなくて——」

「あなたに他の選択肢はないのよ。何も悩むことはなく、ただ、私を殺してしまえばいいだけのこと——」

きっぱりと断言され、見つめられて、絶句してしまう——そして、ふいに胸の奥から噴き出してくるものがある。

苛立ちだった。

この不本意で不透明で不条理な状況に対しての不満が、発作的に溢れ出してきた。

「────」

むすっ、とした無表情になって、彼女は被《かぶ》っていた黒帽子をむしり取った。

そして、由紀子に向かってその帽子を押しつけるようにして渡す。そしてマントも脱いで、由紀子の上にばさっ、と掛けてしまう。虚《きょ》を突かれた由紀子が反応できない間に、彼女は、

「そんなこと言われても、全然わかんないのよ私は──なんにも想い出せないんだから。どうして私がそんなものを持っていたのかも、ブギーポップっていうのが何者なのか、まったく記憶にないんだから……！」

と強い声で宣言してしまっていた。

言ってから、しまった、とも思ったが、しかし一方で、もうどうにでもなれ、という決意も固まっていた。

「…………」

コスチュームを渡されて、由紀子はしばらく唖然《あぜん》としていたが、やがて唇の端から絞り出すような声で、

「……想い出せない？」

と言った。それから眉間《みけん》をぴくぴくと痙攣《けいれん》させるように寄せて、さらに絞り出すように、

「……記憶がない？」

と繰り返した。うなずいてみせると、由紀子は顔をしかめたまま、ぶるぶると小刻みに震えだして、そして、

「……なんじゃあそりゃあああっ！」

と大声を上げた。驚いて、あわてて彼女の口を塞ごうとする。しかし由紀子はそれを振りほどいて、さらに、

「なんなのその無責任っぷりは！　舐《な》めてるの？　せっかくブギーポップがいたっていうのに――記憶喪失《そうしつ》う？　ふざけてんの？　いや舐めてるわよね。馬鹿にしてるわよね。なにしてんのよ一体！」

と怒鳴り散らした。これにはカチンと来た。

「――そ、そこまで言うことないんじゃない？　ずいぶんと自分勝手な気がするわ」

と言い返してみると、睨《にら》み返されて、

「あーもう、がっかりだわ！　感動を返してよ！」

さらに言いつのられる。こうなると遠慮してもしょうがないと思い、

「じゃあ、どんなんだったらいいのよ？　ブギーポップっていうのは、どういうのが理想だっていうのよ、あなたは？」

と訊き返してやった。すると由紀子は、んん、と少し顔を歪めて、

「――いや、だからさ。そう言われると、なんだかよくわかんなくなるけどさ――だって死神

なんて、実際どんな感じかなんて想像できてなかったし……」

「だったら文句言わないでよ。私だって好きでこんな風《ふう》になってんじゃないんだから！」

強い声を出してしまい、そして少しどきりとした。なんだか、朝に目覚めてから初めて、素直に気持ちを表に出せた感じがした。

「うーん……」

由紀子が唇を尖《とが》らせて、それから首を振って、

「……でもさ、あんた——ブギーポップなのかどうか、それはわかんなくなったとして、じゃあ——どうするつもりなの？」

「だから混乱してるのよ」

「投げやりに言わないでよ。ほんとにイライラするわね」

「なんであなたに怒られなきゃならないのよ。そもそもあなたにとってブギーポップってなんなのよ？」

そう言ってから、彼女は由紀子が言っていた言葉の意味を、やっと把握する。

「そうよ——なんであなた、私を殺してくれ、なんてことを言うの？」

「………」

訊かれても、由紀子はむすっとした顔で返事をしない。ブギーポップでないのなら、そんなことは教えてやらない、という感じだった。

「あなた、死にたいの？　なにか辛《つら》いことがあるの？」

「……ああもう、そういうことをいちいち質問してきたりするから、ますますガッカリするのよ。まったく」

「なによそれ、無茶苦茶《むちゃくちゃ》だわ」

「無茶苦茶はあんたよ。私はもう、ほんとうに――ああ」

がっくり、と肩を大きく落としてうなだれる由紀子に、彼女は、

「……ねえ、どうして私のことを、その……ブギーポップだと思ったの？」

と改めて訊いてみた。ここでやっと由紀子は顔を上げて、

「なんで、って――いや、なんかピンと来ただけよ」

と答えた。

「どうしてピンと来たのよ。だって具体的には知らないんでしょ？　なのにどうしてブギーポップだって断定したのよ」

「だって――なんか不思議な力みたいなのを使ってたじゃない」

「だからって、それがそのままブギーポップだとは限らないでしょう？」

「…………」

「あなたが私を見て、ブギーポップだ、と思ったのって、きっとなにか理由があると思うのよ」

「なにが言いたいのよ、あんたは？」

「私は自分が何者なのか知りたいのよ。あなたが私を見て、ピンとくるものがあったとしたら――それは」

「それは……なによ」

「それを教えて欲しいのよ、私は。あなたが何を私の中に見つけたのか……もしかしたら、私の正体のヒントがあるかも知れない」

「…………」

由紀子は渋い顔を崩さない。だが自分のことを見つめてくる彼女の眼に根負《こんま》けしたように、やがてぽつりと、

「ブギーポップっていうのは――ほんものよ」

と言った。

「他のものはみんなニセモノだけど、ブギーポップだけはほんもの――嘘《うそ》ばっかりの、適当なでっち上げのその場しのぎの世界の中で、たったひとつ――ほんとうのほんもの」

「……どういう意味？　よくわかんないけど……」

「とにかく、そういうものなのよ。あとは全部デタラメなの。ニセモノなの」

「それじゃあ――あなたもニセモノってことになるけど」

「そうよ。決まってるでしょ。だから私はほんものになりたくて――」

そしてまた口をつぐむ。要領を得ない。すべてがもやもやしているこの状況の中で、さらに

――次なる異変が生じた。

開きっぱなしだった扉の向こうから、こつこつこつ、という階段を誰かが上ってくる足音が響いてきた。

はっ、となって、あわてて由紀子の腕を取って、屋上の物陰へと逃げ込んだ。由紀子は特に逆らうでもなく、マントと帽子を抱えたまま一緒についてきた。

彼女たちが身を潜めるのとほぼ同時に、屋上に姿を現したのは、またしても一人の女子生徒だった。

「………………」

どこか遠くを見ているような眼をしている。やがて彼女は、屋上の上に散らばっているカラスの死体を発見して、それをじっ、と見つめたかと思うと、つかつか、とそのうちのひとつのところに歩み寄っていって、げしっ、と踏みにじった。

ぐりぐりぐり、と執拗に踏みつける。いったい何をしているのか――と疑問に思ったところで、そいつは足を床から離した。

すると――その下からカラスの残骸は消失してしまっていた。

(え――)

驚愕《きょうがく》しているあいだにも、その女子生徒はさらに別の破片のところに行って、同じように踏みつけて、消し去ってしまう。

掃除屋――そんな風に見える。

「…………」

「…………」

由紀子と彼女がぼんやりと、その様子を陰から観察していると、あらかた片づけ終わってしまった女子生徒は、ふう、と肩をすくめて、

「――出てきた方がいい、よ……」

と言った。どことなくぼんやりとした声である。それから続けて、

「出てこないと……消しちゃうけど」

そう宣告した。

4.

「ブギー……ポップ？」

その少女は、話を聞いた後で眉をひそめた。

「何、それ……？」

「なんで知らないのよ？　信じられない――」

由紀子が責めるように言うと、少女はぼんやりとしたまなざしで見つめ返して、

「噂話とか、あんまり……縁がないから」

と言った。

彼女の名前は成城沙依子《なるぎさよこ》というらしい。屋上でカラスが飛び散るのを下から見つけて、ここに来たのだという。

「また変なことが起きているな、って思ったから……」

「また、って？」

「この学校の周辺には最近、おかしなことが頻発している。だから……私はここにいる」

成城の言葉は微妙に焦点が合っていない。

由紀子が眉をひそめて、

「胡散臭《うさんくさ》いわ――あんたからは、全然ほんものって感じがしないわ」

と訝《いぶか》しげに呻《うめ》いた。成城は由紀子の視線を正面から受け止めて、

「まあ、それなら――その通り……だから」

「え？」

「私はニセモノ……人間のニセモノ、合成人間だから」

真顔でそう言う。由紀子が少し沈黙していると、成城は、あ、と少し唇を開いて、

「しまった……これ、言っちゃいけないんだった……」

と呟《つぶや》いた。

「あんた、なんなのよ？」

「えーと……」

成城は由紀子をしげしげと眺めて、それから首を傾げて、

「……消した方がいいのかな……違うのかな……？」

と言った。かなりぎょっとするはずのことを言われたのに、由紀子の方はというと、さらに不審そうな顔になり、

「そんな風で迷ったりするトコが、全然ダメなのよ。まったく、なっちゃいないわ――」

うんざりしたように言う。その前で成城は首を傾げて悩んでいる。

（一体これって、なんなのかしら……？）

少し茫然としていると、成城が彼女の方に視線を向けてきた。

「………」

じっ、と固定されたカメラのように見据えられるので、ちょっと落ち着かず、

「な、なに？」

「本当に、カラスをバラバラにしたの……？」

「いや、それは――」

「まあ、問題はそこにはないんだけど……破壊方法には」

変なことを言いだした。

「え？　どういうこと？」

「あのカラスの分断面には特に異常はなかった。単純な物理破壊——刃物があれば誰にでもできること。問題なのはカラスそのものの状態——」

そこまで言って、成城はまた首を傾げる。

「かなり、不自然——不可解」

「なによ、もったいぶらないでさっさと言いなさいよ」

由紀子が偉そうに上から口調で言う。成城はそれには特に反応せずに、やはりどこかぼんやりとした声で、

「あのカラスは、少なくとも三十二時間前には、既に死亡していた——細胞膜《さいぼうまく》が融解《ゆうかい》していて、筋肉は硬直状態も過ぎて弛緩《しかん》していた——」

と告げる。どうやらさっき踏みにじりながら、カラスの死体を解析していたようだ。

「それって要するに——つまり……」

「いわゆる、ゾンビ」

成城がそう言った途端《とたん》、急に由紀子が眼を輝かせた。

「死んでいるのに、動いていたの？　間違いなく？」

と詰め寄るように質問してきた。成城がうなずくと、由紀子はさらに興奮した様子を見せて、

「で——あんたはその異常な謎を解き明かすために、なんかの秘密組織から派遣されてきたっ

てこと？」

「まあ……そんなところ、かな」

成城の曖昧な返答に、しかし今度は由紀子は苛立ちを見せなかった。その代わりに、ずいっ、と身を乗り出してきて、

「じゃあさ――あんた、私を囮《おとり》にしなよ！」

と言い出した。

「…………」

「きっと要《い》るわよ、そういうのが！　だってこの学校の周辺に怪しいのがいるんでしょ？　だったらそういうのを引きつけるためには、あんたらみたいな特殊な連中じゃなくて、ふつうのヤツが向いていると思うわ！」

頰を紅潮させながら、力説した。いったい目的がどこにあるのか不明だが、しかし彼女が大《お》真面目《まじめ》に、真剣に提案していることだけは確かなようだった。

「それにあんたは、実はここの生徒ですらないでしょ。制服着て、潜り込んでるだけでしょ」

そう指摘されて、成城は自分の制服に眼を落として、

「どうして……わかったの？」

と訊き返した。図星らしかった。由紀子はふふん、と鼻を鳴らして、

「あんたねえ、色々と間違ってるわよ。そのスカートは隣《となり》の中学校の制服よ。上と下がバラバ

ラ。その格好で高校に来る馬鹿はいないわ」

「……なるほど。難しいのね」

成城はやけに素直に、己の落ち度を認めた。

「どう？　私が必要でしょ？」

由紀子はやたら自信に満ちた調子で言い放つ。成城はそれには特に異論を唱えずに、

「………………」

と由紀子をじっ、と見て、それから視線をもう一人の彼女に移す。

「……え？　私？」

「あなたは……どうなの？」

「いや、私は――」

言われて、彼女は混乱した。自分はどうなのだろうか。そもそもの出発点は自分だったはずなのに、なんだかすっかり取り残されたような気がしてきた。

「私は――自分のことが知りたいわ。あなたにわかるの？」

「どうかな……でも、あなたもこの周辺の不思議の一部、かも。そのコスチュームも含めて」

と、成城は黒帽子とマントを指差した。

「もしかしたら、私が追っている敵に、あなたはやられてしまって……記憶を盗《と》られたのかも」

「そう……なのかな」

彼女はマントと帽子を、ぎゅうっ、と抱きしめた。どうやら、選択肢はないようだった。

ただ――ひとつだけ、どうにも引っかかっていることがある。

（さっきのカラスのゾンビ――どうして私を狙ったのかしら？　そう、私が口笛を吹いたら、それに吸い寄せられるように……）

そのことは成城沙依子も、そして狭間由紀子も気づいていないようだった。これを二人に教えておくべきか？

しかし……どう言い出せばいいかもわからず、そして何よりも、記憶がないという不安感は、彼女をすべてに於《お》いて慎重にさせていた。

（言わないでおこう――少なくとも、状況を自分なりに整理できるようになるまで）

そう判断した。

5.

タネジローはちぃちゃんの大切な友だちだったが、三日前からどこかに消えてしまった。

「犬は専門家に探してもらうから、あなたは小学校に行きなさい」

親にそんなことを言われて、ちぃちゃんはしかたなく学校に行ったが、一日中ずっと心ここにあらずで、ぼーっとしている間にたちまち下校時刻になった。友だちのれいちゃんやきーちゃんが一緒に帰ろうと誘ってくれたが、ちぃちゃんは首をぶんぶんと横に振った。

(タネジローをさがさなきゃ――)

ちぃちゃんはランドセルを背負ったまま、街をさまよい始めた。

しかしなんの成果もないまま時間だけが過ぎていき、陽《ひ》が暮れてきた。

(タネジロー――どこに行っちゃったの?)

彼女はいつもタネジローを散歩に連れていった公園にやって来た。いつもはサッカーに興じる子供やテニスサークルの主婦たちなどで結構賑やかなそこは、その日は照明装置の入れ替えのために真っ暗で、入口には立ち入り禁止の鎖が掛けられていた。

それをくぐり抜けて、ちぃちゃんは中に入っていった。

しーん――と静まり返っている。

「タネジロー……?」

呼びかけながら、奥へと進んでいく。足下があやしいので、何度かつまずきそうになる。しかし後戻りはせずに、ちぃちゃんは服の袖《そで》をぎゅっ、と摑《つか》みながら足を止めない。

公園の散歩ルートの、やや中間あたりにさしかかった頃のことだった。

植え込みの奥から、ぐるるる……という唸《うな》り声が聞こえてきた。

犬の声のようだった。ちぃちゃんはハッとなる。

おそるおそる、身を屈めて暗がりを覗《のぞ》き込む。

ぐるるるる……という声はどんどん大きくなってくる。そして食べ物が腐ったような異臭も漂ってくる。

「どうしたの？　苦しいの？」

ちぃちゃんは四つん這《ば》いになって、声がする方に向かっていく。

その途中で、声がやんでしまう。静かになる。

茂みの中で、目標がなくなってしまって、ちいちゃんは困惑したが、とりあえず声が聞こえてきた方に進んでいく。

茂みを抜けて、少し広いところに出た。

赤い夕焼けが射し込んでいる土の上に、うずくまっている影があった。丸まっている。あれ、と思った。

(なんか……少し大きい……？)

ちぃちゃんがそう思った瞬間、その影が弾けるように動いた。

飛びかかってきた――その大きな口が牙《きば》を剝き出しにして襲いかかってきた。それは犬であって犬ではなかった。唸り声はあげても、もう呼吸していなかった。

「――――」

突然のことに、ちぃちゃんは対応できない。その場に立ちすくんで――そして影がその上に重なる。

横から駆け抜けてきた、黒帽子をかぶったシルエットだった。

そのマントに覆われた腕がちぃちゃんの小さな身体を横抱きにして跳躍するのと、犬の口吻《こうふん》が、がちっ、と嚙《か》み合わされるのはほぼ同時だった。びりり、とマントの端が嚙み切られて、裂けた。

「うおっ――！」

黒帽子の下から、呻き声が洩《も》れる。しかしそれでもちぃちゃんを抱えて犬から逃れて、離れたところまで行く。そこに立っているのは。

「……え？」

ちぃちゃんの眼が丸くなった。彼女の視線の先には、ふたつの人影があった。

今、自分を助けてくれた影――黒帽子とマントをまとった奇妙な姿。

それと同じ格好をした人が、もう二人立っているのだった。

全部で三人――同じコスチュームを身にまとって、人のいない公園に群れている。

「――あれ、知らない？　この格好にピンと来ない？」

そのうちの一人が、ちぃちゃんが茫然としてるのを見て、残念そうに呟く。

「あー、まあ、こんなに小さいんじゃ知らなくてもしかたないかな」

やれやれと肩をすくめる。その横にいる黒帽子が、すっ、とマントの間から何かを差し出してくる。

それはちぃちゃんが探していた、愛犬のタネジローだった。

わん、と元気良く鳴いてきたので、ちぃちゃんは飛びつくようにして受け取る。

「その犬――迷子《まいご》になってたから……もう、離しちゃダメ」

ぼんやりとした口調で言われたので、ちぃちゃんは泣きながらうなずく。

「あなたは逃げなさい……こっちは、こっちで片付けるから」

そう言われて背中を押されたので、ちぃちゃんは温かい体温のある子犬を抱きかかえて、一《いち》目散《もくさん》に公園の外へと駆け出していった。


「……さて、と」

三人はあらためて、自分たちに向かって唸り声をあげ続けている犬の姿をしたものに向き直った。

「あれは……間違いない。この前のカラスと同じ……」

そう言ったのは、黒帽子を被った成城沙依子である。

「じゃあ、バラバラにしないといけない訳か」

こっちも黒帽子を被っている狭間由紀子が言う。

「ほら、何してんのよ。この前みたいにやっちまいなさいよ」

偉そうに言われて、この中では一番最初から黒帽子を被っている彼女は、

「いや——そう言われても……前だってどうやったのか、よくわかんないんだし……」

と困惑口調で言った。とりあえず、手を前にかざしてみる。だが何事も起こらず、犬が牙をさらに剝き出しにして襲いかかってきた。

「——ひえっ！」

悲鳴を上げてしまう。逃げようとするが、犬の方が速かった。ぶつかられて、バランスを崩して転倒したところで、上に乗られてしまう。

その牙が、喉元《のどもと》へ——と思われたところで犬の腹部に、駆け込んできた成城の飛び蹴りが入っていた。

げああっ、と犬から音がするが、それは苦痛によるものではなく、身体の中で発生したガスが裂け目から洩れ出す音だった。

「もう発酵が始まっている——死後、一週間から十日は経《た》っている」

成城が静かに言う。その上体がまるで棒のようにぴん、と直立している体勢で、その生脚《なまあし》がマントから出てくる。靴下もストッキングも履《は》いていない。まるで蛇のようにのたうつか如《ごと》き動きで、さらに蹴りの狙いをつける。

彼女の靴にはおかしなところがある。上や横から見るとふつうなのだが、その底の部分が刳《く》り抜いてあって、足の裏が剝き出しになっているのだった。外観は偽装《ぎそう》で、彼女は裸足《はだし》で歩いているのである。

彼女に与えられているコードネームは〈フットプリンツ〉――それは分析と攻撃が一体化した能力。

まず最初の接触で、相手の状態を〝触れて〟確かめる。そして次の攻撃では――

げあああっ、と犬が異音を発しながら飛びかかってくる。それを成城は避けずに待ち受ける。獣の口があり得ない角度で開いて、ほとんど直線になる。牙が真正面を向く。

裸足で、その牙を迎え撃つ。

見た目はむしろ、なまっちろくて柔らかい赤子《あかご》のような足の裏である――しかし猛突進してきた鋭い切っ先が、そのふわふわした皮膚《ひふ》に接した瞬間――真っ黒に変色する。

そして、飛散する……視認できないほどの粒子にまで分解されてしまって、跡形もなくなる。

〈フットプリンツ〉の体内波動が衝撃波《しょうげきは》となり、相手の分子構造から破砕する攻撃となったのだった。

「――――」

どこかぼんやりとした表情のまま、成城はさらに脚を犬の顔に突き出す……踏みにじる。

犬は地面に押しつけられ、そしてその身体がどんどんすり減っていく。みるみるうちに分解されていって、その体積が失せていく。

五秒と掛からなかった。

成城が次に脚を上げたとき、犬の姿はもう跡形もなくなっていた。

「あーあ、何してんのよ。あんたが戦わなきゃ意味ないじゃん。成城の方には謎《なぞ》がないんだから」

由紀子に文句を言われて、

「で、でもそんなこと言ったって……」

と言い返す言葉にも力がない。

6.

なぜこの三人が、みんな黒帽子とマントの扮装《ふんそう》をしているのか——それは由紀子の発案によるものだった。

彼女は、もしこの扮装に意味があるのなら、ヒントを摑むためにはできるだけ数を増やした方がいいと言ったのだ。そして成城もそれに反対せず、由紀子たちが午後の授業を終えて屋上に戻ってみたら、もう二人分のコスチュームを用意していたのである。

ただ——自分のスカートも間違えていたように、マントと帽子も少しだけ間違えていた。最初にあったマントと帽子には、あちこちに青い色の飾り縫い《ステッチ》があったのだが、それが赤と緑になっていた。

三人で分けた方がいいと思ったらしい。大きな違いでもないので、これでいいか、ということになり、由紀子が赤、成城は緑を選んだ。

そして試しに、その格好で、人気のない公園をふらふらしてみたら迷子の犬を見つけたかと思うと、すぐにまた新たなゾンビと遭遇《そうぐう》したのである――。

確かに、なにかあるとは思うが……でも一体なんの関係があるのかはさっぱり不明である。

（むしろ、どんどん混乱が深まっているような……）

三人はそれから一時間ほど、さらに人通りのないところを選んでコスチュームのまま徘徊《はいかい》してみたが、それからは特になんの異常とも出会《でくわ》さなかった。

「まあ、今日のところはこの辺で。あとは明日にしましょうか」

なんだかすっかりリーダー気取りになっている狭間由紀子がそう言ったので、その日はお開きになった。

自宅という自信のない家に帰ると、今日は遅かったわね、と少し怒られるように言われた。学校の用事で……と曖昧に応えると、遅くなるなら先に連絡しなさいよ、と軽く注意されたが、それほど強い叱責《しっせき》ではなかった。

（……どういう態度でいればいいのか、迷う……）

狭間由紀子と成城沙依子、あの二人には知られてしまっているのだが、しかし他の者たちにも教えていいものかどうか――問題にされないのをいいことに、ずるずると時間が過ぎていっている。

翌朝になって、目覚めても、相変わらず記憶は戻っていなかった。昨日と同様に曖昧な態度で家を出て、学校に向かう。

たくさんの人たちとすれ違う――だが彼らは皆、この街のあちこちで生じている異変には気づいていないのだろう。ゾンビと化した生物がふらふらと徘徊し始めていることを。

(私は――どうすればいいんだろうか)

どうも彼女は、今日は少し早く家を出すぎてしまったようだ。校門は開いていて、朝練の生徒たちはもう登校していたが、大半の生徒たちはまだ来ていないような、半端な時間だった。

下駄箱のところまで来ても、他の生徒たちは誰もいない。

腰を屈めて、自分の上履きが入っているところに手を伸ばす。そこにはシールが貼《は》られていて、名前が記されている。


〝不破明日那《ふわあすな》〟


そう書かれている。これが果たして自分の名前なのかどうか、それも自信はない――彼女がへたりこんでいると、どこからともなく奇妙な音が聞こえてきた。

口笛だった。

誰かが口笛を吹いている――。

「——」

昨日、彼女が何気なく吹いていた口笛とはずいぶん違って、なんだか変に上手《じょうず》だった。とても口笛向きとは言えないような、無駄に重厚なメロディーの曲を吹いている。彼女は知らなかったが、それは〝ニュルンベルクのマイスタージンガー〟第一幕への前奏曲だった。

「…………」

ふらふらと立ち上がり、吸い寄せられるようにその音のする方に歩いていく。

すると校舎の片隅で、ひとりの少女が壁に背をもたれさせて立っていた。見つめていると、やがて少女は口笛を吹くのをやめて、こっちを向いて、

「やあ——不破さん」

と、どことなく少年のような響きのある調子で話しかけてきた。見覚えのある人だった。

（そうだ——昨日、末真和子と一緒にいた、もう一人の生徒だ。私の友だちのような感じの……でも、誰か私は知らない）

そう考えていると、そいつはちょい、と眉を片方だけ上げて、

「いや、ぼくらはそれほど親しい友人という訳でもなさそうだよ、不破明日那さん」

と言った。声を聞いているとなんだか、そいつが少女に見えなくなってきた。ではなんだというと、よくわからないのだが……いわゆる女子高生には、どういう訳か全然見えない。というか、少女にすら見えない。男だか女だかさっぱりわからないような——いわく言い難《がた》い雰囲

気がそいつにはあった。

「えーと……？」

「君はどうやら迷っているらしいけど――でも、ひとつだけはっきりしていることがあるよ」

「え？」

「迷っているのは君だけではない、ということさ。この世界の人間はみな、君と同じような迷い方をしている。自分に自信がなく、身の置き所に迷い続けている――君は巻き込まれているが、しかし同時に他の迷い人たちを巻き込んでもいるんだよ」

妙に明瞭に、しかし曖昧きわまりない断定をされる。

「ち、ちょっと――」

こいつは何かを知っているのか――だがどうしてだろう、自分がこいつと関係を持てるような気が全然しない。目の前にいるのに、ひどく遠いところから話しかけられているような――。

「不破明日那さん。君は今、これから何をしたらいいのかわからないと思っているんだろうが――残念ながらそれは逆だ」

「え？」

「君はもう、決定的なことを終えてしまっている――今の状況は、その結果なんだ。人が迷うときというのはいつだって、自分がとっくに進んでしまっていたことを自覚していないから、まだ始まってもいないとか見当外れなことを言い出すんだ。進んでしまった方向が間違っているのなら、採れる選択肢はたったひとつだけ——足下を見つめ直すことだけだ。それで戻れるのなら、さっさと戻ればいい——君は迷っているんじゃない。ただ戻りたくないって駄々をこねているだけなんだよ」

まったく意味の掴めないことを一方的に言うと、そいつは人を馬鹿にしているような、困っているような、曰く言い難い左右非対称《ひたいしょう》の顔をして見せた。

「あ、あんたは——」

と彼女が言いかけた、そのときだった。背後の離れたところから、

「ああ、不破——先に来てたの？」

という声が掛けられた。振り向くと、校庭を横切って、狭間由紀子がこっちに小走りに駆けてくるのが見えた。

そして視線を戻すと——もうその先には、誰もいなくなっていた。

影も形もなく、気配もなにもかも根こそぎなくなっていた。

「…………」

彼女が茫然としていると、由紀子が不審そうな顔をして近づいてきて、

「なによ？　なんか想い出せたの？」

「いや、そういうわけじゃないけど——」

「しっかりしてよね。そうやってぼーっとしているから、肝心のことを忘れちゃうんじゃない

の？」

　かなりイヤミったらしいことを言われる。不破はどうにもうまく言い返せず、

「そういえば――狭間さんは末真のことは知ってる？」

　と訊いてみた。すると由紀子は眉をひそめて、

「なあに、末真和子？　あんな嫌な奴《やつ》がどうかしたの？」

　と不快そうに言った。

「嫌な奴、って――別にそんな風でもないけど」

「いいえ、嫌な奴よ。博士とか呼ばれていい気になっちゃってさ――ちょっとばかり頭が切れるからって、調子に乗ってんのよ」

　なんだかすごくムキになっている。二人の間には何かあったのだろうか。というより、狭間由紀子の方が一方的に憎しみを募らせているような――。

「そうかな――」

「そうよ。何よ、あいつがなんだっていうのよ？」

「いや、いっそのこと――相談してみようか、って思っているんだけど」

　今の変な奴についても、意見を聞いてみたいし――と思っていると、由紀子は、ずいっ、と身を寄せてきて、

「それは絶対に駄目よ」

と厳しい口調で言った。

「どうして？」

「というより、あんたはなんで末真なんかを頼ろうって考えるのよ？」

「それは――」

自分が唯一、名前を覚えていた人間だから――とは、そこまでこの狭間由紀子に教えて良いのかどうか、不破はためらった。口ごもっていると、由紀子はふうう、と息を吐いて、

「あいつは、なんか無駄に皆に信用されてるけど――あんなのは見た目だけよ。雰囲気で、賢そうで真面目そうで、口が堅そうに見えるからってだけよ。ああいうのが一番タチが悪いんだから、実際は」

「――なんかあったの？　末真さんと」

訊いてみるが、これに由紀子は、

「別に。とにかくあいつを信じちゃ駄目よ」

と曖昧なことを言うだけだった。

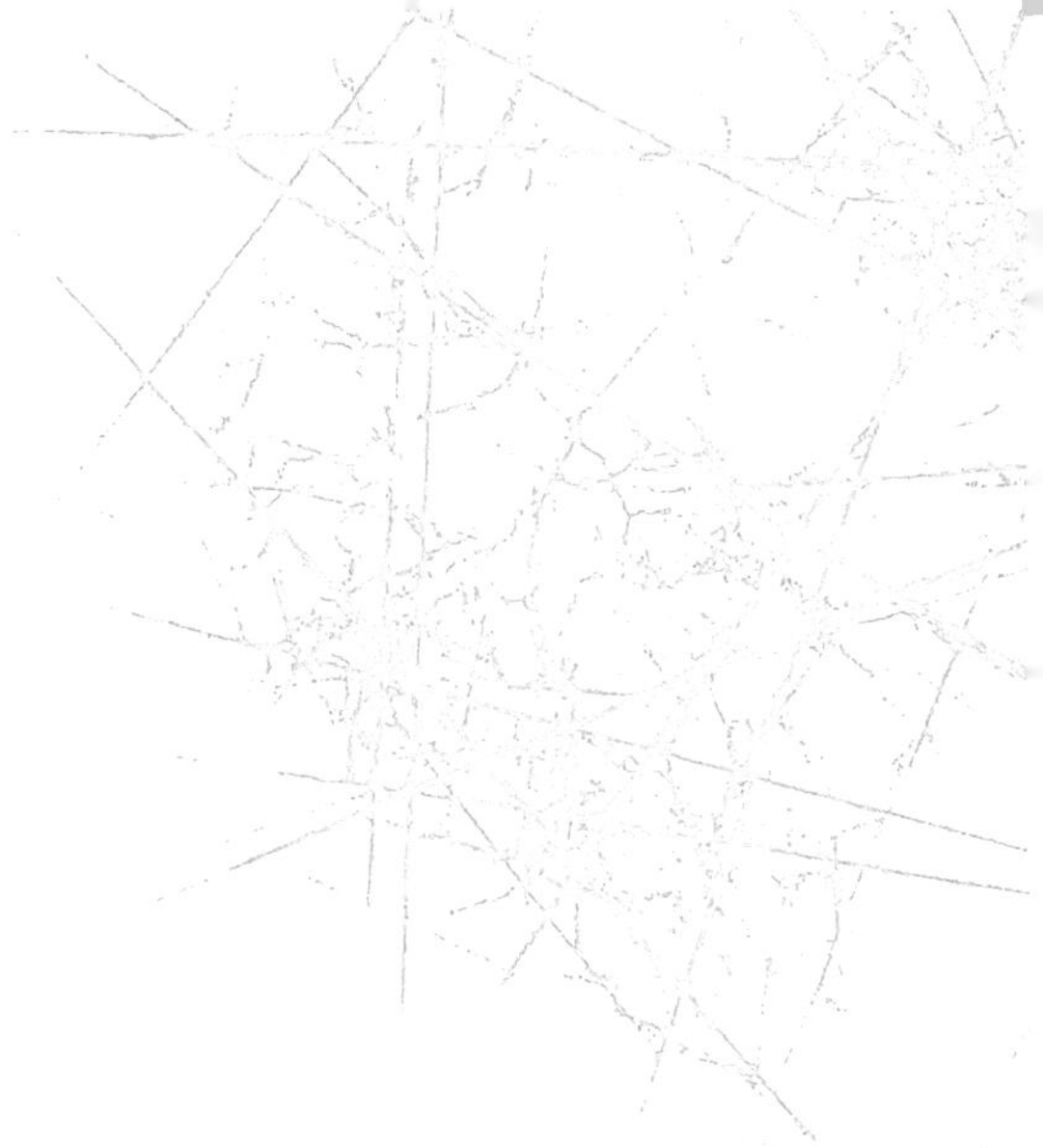

blank/2——恐怖／願望

……少女たちの間でその"死神"の噂が広まっていった時期と、
水乃星透子という少女が自殺した時期は奇妙に一致する。
どちらが先なのかは不明だが、
死んだ少女が呼び寄せたような形になっていて——

——早見壬敦〈仮称ブギーポップ〉

……彼女は死神について、私にこんなことを言っていた。

「それは世界の敵の、敵——誰の味方でもなく、善も悪もない。ただ殺しに来るだけ」

なんでそんな奴がいるのか、と私が訊《たず》ねると、彼女は笑って、

「ああ——それは逆よ。死神に存在理由などはない。理由があるのは世界の敵の方——彼等には死ぬべき理由がある。この世界とは相容れない存在は、自分以外のすべてによって否定される。死神は、その他大勢のひとつでしかない。無数にある可能性の中に埋もれた存在。そんなものにいちいち存在理由を問うても無駄なのよ」

でも、そいつはあなたを殺しに来るのだろう。だったら対策を立てておく必要があるだろう、と私が言うと、彼女は首を左右に振って、

「対策なら、今でも充分すぎるほどにやっているわ。そう、あなたが私の下にいることもそのひとつでしょう？　私は過去に、思いついた可能性のすべてに対応しているし、これからも思いつく限りのあらゆることをするでしょう。それでも——きっと死神は、そういうあらゆる網の目をかいくぐって、気がついたら私の前に立っていることでしょう。私の如何《いか》なる努力も無駄だ、ということを証明するために」

どうしてそいつは、そんなにもあなたを敵視するのだろう、と私が訊くと、彼女は笑ったまま、

「死神は、私のことなんかなんとも思っていないわ。いや、私だけではない。世界中のもの全部を、なんとも思っていない——だからこそ、殺すだけの存在になっているのよ」

殺意だけの存在ということか、という私の言葉に、彼女はまたしても首を横に振り、

「人間が他人に対して殺意を抱くとき、そこには必ず裏返しの理由がある。反撥であり、保身であり、逃避であり、時には愛情ですらある——しかし、単なる殺意というものはない」

彼女は穏やかに微笑んでいるが、しかしその眼には冷たい光がたたえられている。

そう——私は知っている。

彼女は、世界中に惜しみなく心情を注いでいる存在であると同時に、あらゆる人間の愚行をどうしようもなく軽蔑《けいべつ》しきっていることを。その段差の深さに於いて、彼女に勝る者はこの世に存在しない。

「たとえ邪魔《じゃま》な石ころを取り除くくらいの軽い気持ちで人を殺す者がいたとしても、それは殺意からではない。単に、人の価値というものを理解していない愚か者なだけ。殺したいという気持ちの裏には、必ず別の自己の生存にとって都合《つごう》のいい別の理由がある。自殺ですら、自分が好ましい自分を少しでも長くこの世に留めたいという気持ちの裏返しであり、自己を押し潰《つぶ》そうとする現実に対しての異議申し立てに他ならない」

彼女の言葉は難解だが、声はどこまでも透明で澄み切っていて、まるで歌っているかのように耳に心地よい。

「だから死神は、殺すだけの存在であると同時に、この世界で最も殺意から遠い存在——私と真逆」

彼女は空を見上げる。その彼方《かなた》にいる何者かに語りかけるように、彼女は続ける。

「私は、すべてを受け入れたいと思うから、あらゆる〝死〟を夢に変えてしまいたいと願っている。でも死神はその逆——世界から切り離されているから、触れるものを〝死〟に変えてしまう——愛しい愛しい我が天敵は、残念ながら私のことなんて、なんとも想ってくれないのよ」

彼女は一瞬だけ、そのどこまでも深い微笑を消して、そしてその名を呟く。

「ねえ、ブギーポップ——」

1.

狭間由紀子は白馬に乗った王子様というものに、一度も憧れたことがない。

彼女は子供の頃から、常にどこかで不本意であった。別に特別な環境に育った訳ではない。平凡な家庭の、平凡な娘として生まれて、普通の育ち方をした。友人が多い方ではなかったが、といって孤立しているというほどでもなかった。すべてがほどほどであった。

それが、彼女の最大の不満であった。

どうして自分はこうも特別なところが何もないのか。

どうして他人とあまりにも代わり映えがしないのか。

自分だけにしかない、かけがえのない目的や理由は存在しないのか。

別にその不満を彼女は、他人に吹聴《ふいちょう》して回ったりはしない。そんなことをしても無駄だということはわかっている。なにしろ連中は彼女と同類——なんら特別なものを持たない人間たちだからだ。友人の中にはアイドルに憧れたりスポーツ選手に憧れたりして、彼らは特別な人たち、みたいなことを言うが、由紀子はそれに一度も共感できたことがない。そういう特別だという人間たちは、遅かれ早かれどこかでボロを出す。それに何よりも、その特別だという人気者の彼らは、どうして特別でない連中に、ああも執拗にチヤホヤされたがっているのか、それが理解できない。どうでも良い連中から褒《ほ》め称《たた》えられないと気がすまないような奴らは、それだけでつまらない人間ではないか、そう思えて仕方がないのだった。彼女が他の人間たちから時々テストの点数が良かったり、体育で誰も跳べない跳び箱を一人だけクリアできたりしたときに褒められても、正直ぜんぜん嬉《うれ》しくないからである。そんな安っぽいことに血道《ちみち》を上げている連中はそれだけで底が浅い、そうとしか思えないのだった。

そんな屈折した考えに取り憑《つ》かれているせいで、彼女は男の子と付き合っても長続きしない。もちろん彼女から告白したことは一度もなく、たいてい相手から言われて、じゃあいいよ、といって付き合いが始まるのだが、相手の男はしばらく経つとなんだか疲れてきて、別の女の子が好きになったと言って彼女から離れていく。

引き留めたことは一度もなく、そもそも相手のことが好きになったことがないから、未練もない。

そんな彼女が一度だけ、変な形で心に引っかかったクラスメートがいる。

「狭間さんってさあ――実は虚《むな》しいでしょ」

彼は実に軽い調子で、そんなことを言ってきた。とりあえず女の子にちょっかいを出す軽薄《けいはく》な奴だと思ったので、彼女は無視した。するとそいつはくすくすと笑って、

「いやいや、別に君が虚しいからつらいだろう、って同情している訳じゃないよ。逆だよ。むしろ努力が足りないって思うんだよ。君は今、とても中途半端《ちゅうとはんぱ》だ――出会うべきものに出会っていないから」

と奇妙なことを言いだした。

「何が言いたいのよ?」

「いや、特に言いたいことがあるわけじゃない。ただ、君みたいな人間は、待っているだけじゃ何も訪れてはくれないって真実を、僕は知っているってだけだ」

「……………」

「だってそうだろう。君は周囲が普通すぎて嫌になっているけど、君だってその普通の一部な

んだぜ。君が何もしないのなら、当然、普通は普通のままでなにも変わりゃしないよ」

「…………」

「ところでさあ――狭間さん。君はブギーポップって知っているか」

「なんで男のあんたが、あの噂のことを知ってるのよ？　女の子しか知らないはずよ」

「まあ、その辺はちょっと反則というやつで。――君はあれについて、どう思う？」

「別に。くだらない都市伝説のひとつでしょ、あんなもん」

「かも知れないし、そうでないかも知れない――もしもほんとうに、人を殺すだけのために存在している死神がいたとして、君はそれに対してどういう態度を取るだろうね？」

「いないものについて考えたってしょうがないわよ」

「君は仮定の話を全部否定するのか？　だったらますます現在の普通からは一歩も外には出られないぜ」

「…………」

「あくまでも仮に、だよ――仮にブギーポップが実在するとして、そんなものが自分の前に現れたときに、君ならどうする？　殺されたくないって逃げ出すか？　生命乞《いのちご》いをするか？」

「いや――本物の死神だったら、そんなことをしてもどうせ無駄でしょ」

「じゃあ、おとなしく殺されるだけか？」

「放っておいても、みんな死ぬのよ」

「ならいっそ死神に殺された方がいい、ってことか――それは諦《あきら》めるというのとは違うみたいだね」

「それはそうよ。自分の意思よ」

「ブギーポップは君の嫌いな、やたらと他人から褒められたがっている連中とは違う、って感じかな」

「だって出会った者はみんな死んでしまうんでしょう――どうやって皆に認めてもらえるのよ？」

「誰も知らない。誰もついていけない。それでも圧倒的、かつ絶対的な存在か。誰も彼女に手を出せない――ただ生命を喰われるだけ」

「彼女？　ブギーポップって女じゃないでしょ？」

「女ではないとは言い切れないだろう――僕はどちらかというと、彼女、と呼びたいね。そう――もしかしたら、君がそうかも知れない、って思う」

「私は――違うわよ」

「ははは、まあ本当だとしても、それを素直に教えるほどお人好しではないよね」

「…………」

「ねえ狭間さん――人間は自分が何を求めているのか、それを事前に知ることは決してできないんだよ。運命というのは目の前に現れてからでないと、それが運命であると悟れないんだ。

そして現れてしまったら——もう二度と元に戻ることはできないのさ」

「——だから、何が言いたいのよ?」

「君がブギーポップらしきものに会うことがあったら——そのときは今の話を思い出してもらいたいんだよ。人を喰らうもの——死神を前に、自らの意思で生命を差し出すっていう、今の言葉をね——」

そう言うと少年はうっすらと笑った。

早乙女正美《さおとめまさみ》というのが、その少年の名前だった。

なんだか一方的に言いたいことを言われてしまったような気がして、由紀子はそれからしばらく早乙女のことを意識してしまっていたが、ある日——彼が放課後の校庭の隅で、女子生徒と密会らしきことをしているのを目撃して、なんだか白《しら》けてしまった。それは学校一の秀才、かつ美人で有名だった百合原美奈子《ゆりはらみなこ》だったので、ほんのちょっとだけ驚いたが……しかし彼も所詮《しょせん》は、普通の青春を送っているだけの俗物かと思うと、そこで興味がなくなった。

だが——その失望は数日後にばっさりと斬《き》られることになる。

早乙女正美と百合原美奈子が、そろって失踪《しっそう》してしまったからだ。いったいどこに行ってしまったのか、未だにわからない。そもそも二人がいなくなる理由がまったく不明だ。同時に消えたのに、学校では二人が駆け落ちしたとかそういう話にはならなかった。両者に接点がなかったからだが、しかし由紀子は知っている。あの二人はきっと、同じ原因で消失したのだと。

それは――

(ブギーポップ……?)

早乙女正美が口にしていた、あの単語……あれに関係がないとはとうてい思えない。

(あの二人は、ブギーポップに会ったのかしら……?)

だとしたら彼らは、彼らだけにしかない特別の理由を手に入れていたのだろうか――それで、わざわざ死神が殺しに来てくれたのだろうか――?

＊

(――しかし、どう考えてもそれって、コイツじゃないわよね……この不破明日那が早乙女正美たちを殺した犯人とはとても思えないわ……)

彼女が睨みつけていると、ただでさえ落ち着かない様子できょろきょろしている不破明日那が、ん、と眉をひそめてきた。

「な、なに?」

不安そうに訊いてくる不破に、由紀子は不快そうな顔を隠そうともせず、

「それで、なんか想い出せたの?」

と質問した。不破は首を横に振った。

「ていうか……なんか忘れているって感じでもないような——物忘れのときって、どこかもやもやした気持ちがあるでしょ。それが全然ないのよね——私」

「記憶がないのに、どうしてそんなことは知ってるのよ？」

「知らないのは、だいたい人の名前とか顔とかで、それ以外の感覚は割と残ってるみたいなの」

「忘れると——もやもやするの……？」

横から成城沙依子が割り込んできた、その声もどこか抜けている。

「人間って——もやもや……もや、って何？」

はああ、と由紀子はあからさまにため息をつき、

「あんたたちには真剣さが足りないわ——どうも適当にやっているような気がしてしょうがないわ」

と忌々しそうに言った。

学校の授業が終わった後、三人娘はふたたび屋上に集まってきていた。

「いや、別に狭間さんは真剣になる必要はないんじゃや……」

不破がそんなことを言ってきたので、由紀子はきっ、と睨み返して、

「ブギーポップの出来損《そこ》ないの癖に、偉そうに言うんじゃないわよ」

「出来損ない、って——じゃあ完璧《かんぺき》なブギーポップって何よ？」

「少なくとも、私程度に文句を言われて膨《ふく》れっ面《つら》にならないくらいに立派な存在でしょうよ」

断言してやると、不破はますます不満そうに、

「だって、ただの噂なのに……」

と唇を尖らせる。その様子があまりにも〝ただの女の子〟なので、由紀子はさらに神経を逆撫でされる。

（ああもう――なんでコイツってば、こんなに普通なのよ――せっかく特別な存在っぽい要素がたくさんあるのに……宝の持ち腐れもいいトコだわ……！）

その怒りは彼女にしか通用しない論理で構成されているから、誰にも共感できないが、そのことがさらに彼女を意固地にさせていた。

「でも……噂の元があるはず……誰かが言い始めたから、噂になってる……それは誰？」

成城がぶつぶつと、もっともな疑問を口にする。

「それがわかれば苦労しないけど、調べる方法があるの？」

「とりあえず……この学校の女子生徒を全員……ひとりずつ尋問する、とか……？」

真顔でとんでもないことを言う。由紀子は頭に手を当てて、

「あのねえ――そんなことしたら秘密を摑む前に大騒ぎになって、私たちの方が先にどうにかされちゃうでしょうが。あんたの属しているっていう組織が庇《かば》ってくれるの？」

「いや――たぶん、逆に問題にされて……処理される――なるほど。それはまずい、か……」

成城はかなり怖いことを、ぼんやりとした表情で言う。

「あのう、別にブギーポップの秘密にこだわらなくてもいいと思うんだけど——私の記憶とか、動いてる死体とかの方が重要なんじゃ——」

おそるおそる、不破が口を挟んできた。由紀子は渋い顔になったが、仕方なく、

「……まあ、当面はそうするしかないんでしょうけど……でもあんたがコスチュームを持っていた理由の方は、これは追究しないとね」

と言った。

「いや、狭間さんが一番、関係ないんだけど——」

不破が文句を言いかけたところで、成城がまったく脈絡《みゃくらく》なく、

「これ——手縫《てぬ》い……」

とマントを広げながら言った。

「それも、明日那の匂いしかなかったから……作ったのは明日那」

「でも、なんにも覚えていないけど」

「この布——たぶんカーテン生地《きじ》……真っ黒なカーテンは珍しい……買ったか、盗んだか……調べてもらってるけど、わかるかどうかは不明」

「私のいる家には、そんなカーテンはないわ」

「暗幕、って感じだから、舞台関係とか？　なにあんた、役者なの？　芝居してんの？」

「だから知らないって——」

「この近隣で、それっぽい場所はない……盗んできたとしても、かなり遠方……」

「遠くに行ってる場合じゃないわね――やっぱりこの周囲を探り回った方が早いか」

「………………」

不破は不思議そうな顔で、由紀子のことを見つめている。その視線の意味はわかる。

こいつは怖くないのか――そう思われている。

普通の女の子の癖に、危険なことに首を突っ込んで、恐怖を感じないのか――そう思われている。

由紀子は説明をする気がない。誰に言っても理解はされないだろうと思うし、理解されたらされたで、それがとても不快でもある。

自分が特別な存在では〝ない〟かも知れない――そのことを由紀子がどれほど嫌っているのか。他の者たちとは違うのだということをどれほど欲しているのか。自分だけの運命が必ずあるはずだとどれほど信じているのか。その期待が裏切られることをどれほど嫌悪しているのか――そのことを説明する気はまったくないのだった。

2.

さすがにまだ陽が高いので、マントと帽子を着込んでうろつくのはやめておいた。しかし成城沙依子こと〈フットプリンツ〉が歩き回るということは、それだけで調査をすることになる。

まず昨日の、犬のゾンビと遭遇した場所に戻り、彼女の足の裏で感知した匂いを逆に辿《たど》っていくことにする——犬はどこから来たのか、どこで死んで、そして動き出したのか……そのことを突きとめようというのだった。

「でも、犬なんて町にはたくさんいるし、区別なんかできるの？」

不破がそう訊ねると、成城は首を横に振って、

「追うのは犬じゃなくて……死臭……犬でも区別できるけど……もっと簡単」

と、曖昧な口調ながら、断言して歩き出していく。すると由紀子が、

「まあ、やらないよりマシって感じでしょ」

と肩をすくめて、後を追う。不破も仕方なくついて行くしかない。

「でも、あの……私、あんまり帰るの遅くなるな、って昨日言われたんだけど」

「誰に？」

「それは……たぶん、親らしい人に」

「そんな曖昧な人たちに遠慮することはないでしょうよ。あんたの問題なのよ」

「そんなこと言っても——不安だし」

「なにがよ？」

「よくわからないけど……私、疑われたくないのよ。自分が正常な人じゃないってことを」

びくびくと怯《おび》えたように言う。その様子を見て、由紀子はまた少し苛《いら》ついた。

「正常な人ってなによ？　自分はただの人間じゃなくて、異常で特殊だって威張ってんの？」

「どうしてそれで威張れるのよ——」

不破は困惑したように首を振る。

その間にも成城はどんどん進んでいく。街の中心部へと向かっていく。さすがに由紀子も途中で、

「ねえ、おかしくない？　どんどん賑やかな方に行っているんだけど——もっと街外れの寂れたところの方が怪しくない？」

と訊いてみたが、成城はただ、

「臭いは、こっちから続いている——それだけ」

としか応えない。不破はますます不安そうな顔になる。

そしてとうとう、三人は街の中心部の駅前にまできた。信号を渡り、十字のスクランブル交差点の真ん中で、突然に成城は、

「ここ——」

と言った。

「え？」

由紀子と不破は思わず顔を見合わせる。

「何言ってんの？」

「だから、ここから臭いが始まっている――交差点の真ん中で」

彼女たちが立ち止まっているのを、周囲の人々は迷惑な娘たちだな、と白い眼で見ながら通り過ぎていく。人通りはとても多い。いつも多い――。

「そんな馬鹿な――こんなところで犬は死んだっていうの？」

「それはわからないけど……とにかく、臭いはここから始まっている」

「なによそれ――たとえば早朝とか深夜の、人通りがない時間帯だったとして――犬は空から降ってきたとでもいうの？」

「車に轢《ひ》かれた、とか――？」

「いいえ――それはない。あの死体にはそういう損壊《そんかい》はなかった……死んだのは病死か自然死」

「ちょっと無茶苦茶だわ。なんなのよ――」

言っている間に、信号が点滅し始めたので、彼女たちはあわてて走って交差点を渡りきった。

そのとき……由紀子は背後からの視線を感じて、振り返った。

通りの向こう側に、ひとりの小さな女の子が立っていた。

真っ白い服を着ていて、流水に墨を流したように黒く長い髪がなびいている。どことなく実際の人間ではなく、さながら幽霊のようでもある。見覚えがあるような、ないような、印象がどうにもはっきりしない――。

（え――）

と由紀子が眉をひそめたところで、女の子は指を口に当てて、

〝しいっ――〟

と沈黙を要請するジェスチャーをしてみせて、それから唇だけを動かして、

〝あなただけ――その二人にはないしょ〟

と言ったような気がした。読唇術《どくしんじゅつ》など知らないのに、そういう風に理解した。

（え……？）

虚を突かれて空白状態になった由紀子に、女の子はさらに、

〝約束するわ――あなたがすべての鍵となるって〟

と唇を動かした。周囲の通行人たちは全員、ぴたっ、と固まっていて、そこだけ時間が停まっているようだった。

〝それは予《あらかじ》め訪れることが決められている運命――あなたこそ混迷を打破する究極の存在となるのよ。だってあなたは――〟

女の子がにっこりと微笑むと、通行人たちがふたたび動き出して、その小さな姿は雑踏の中に紛れて、たちまち見えなくなる。

「あ――」

思わず追いかけそうになり、後ろから肩を摑まれる。

「もう、赤信号——」

と成城に言われて、由紀子ははっ、と我に返る。

「いま——」

と言いかけて、そして口をつぐむ。

「なに？　どうかしたの」

「い——いや、なんでもないわ……」

由紀子は首を左右に振って、語尾を濁らせた。

この二人には内緒——そんな声が頭の中で反響していた。

＊

……その三人の少女たちを、少し離れたところから見ている人影があった。

（なんだ、あの二人の女どもは——）

少年である。着ている制服は狭間由紀子たちと同じ学校のものだ。

（どうして明日那につきまとっているんだ——昨日、めずらしく明日那が帰り道を変えて、帰宅が遅くなったことと関係あるのか？）

諸山文彦《もろやまふみひこ》は不破明日那のクラスメートの一人だった。だが彼女と会話をしたことはない。

彼はいつも、彼女のことを陰からこっそりと見つめているだけだ。

校門で待つと周囲にばれるので、いつも下校時は途中の道で合流することにしていたのだが、昨日はそれができなかった。全然違うルートを通り、帰宅した時間もいつもよりも二時間以上も遅かった。

（まさか男か——いや、そんな馬鹿な）

文彦はここ一年以上ずっと不破明日那を観察し続けてきていたから、そんな形跡がないことは知っていた。ではいったいなんなのか、と今日は多少の危険を冒しても、学校からずっと彼女のことを尾行し続けてきていたのである。今まで不破明日那と話したこともない狭間由紀子や、見たことのない女子と一緒に、立入禁止のはずの屋上に上がってなにやら密談していたかと思うと、公園に行ったり街中に出てきたりと行動に脈絡がない。

（いったい何をさせられているんだ、明日那は——）

交差点の真ん中で立ち止まったりと、不審な行動が目立った彼女たちだったが、やがて街で最も大きな部類に入る、二つのビルが組み合わさるようにして建てられている複合施設の中に入っていった。大勢の人でひしめく建物の中は尾行には不向きである。どうするか、と思った。

そのときだった。

「——三人のうち、誰か特定の娘が目的なのか？　それとも全員か？」

後ろから、いきなり声を掛けられた。それまでそこに立っていた者は誰もいなかったはずなのに、突然に背後に出現したかのようだった。

少年のように小柄な体格をしているが、レインコートを着込んだそのフードの下に顔には無数の深い皺《しわ》が刻まれている――かなり老いた……というより、干涸《ひか》らびているような顔だった。

「え――」

と文彦が声を上げるよりも前に、男の拳が彼の鳩尾《みぞおち》を抉《えぐ》っていた。少年は為《な》す術《すべ》もなく、たちまち気絶した。

そのまま男は少年の首の後ろを掴んで、直立した状態のまま支える。貧弱な外見に似つかわしくない膂力《りょりょく》だった。端から見たら並んで歩いているようにしか見えないような状態で、男は少年を何処《どこ》かへと拉致《らち》していってしまった。

3.

「――ちょっと、誰も来ないんだけど」

明日那がそう言うと、成城はぼんやりとした顔で、

「でも、誰かが私たちの後をつけていたのは確か――」

と応える。

三人は今、建物のビルとビルの間をつなぐ渡り廊下のような大きな通路の真ん中にいた。

　ほとんどの人間はそれぞれの出入り口の近くにあるエスカレーターかエレベーターを利用して目的階に行ってしまうので、わざわざ建物と建物を横断する位置にあるこの通路を利用する者は少ない。

「でも……もう十分以上になるけど、それっぽい人は見当たらないんだけど」

　明日那は廊下の端と端に、交互に眼をやる。人が来たらすぐにわかるのだが、誰も現れない。尾行者がいると成城が言い出したので、三人はそいつを見つけるためにこの場所にまでわざわざ移動してきたのであるが、どうやらその行動は無為に終わりそうだった。

「気のせいだったんじゃないの？」

　明日那が少し抗議口調で言っても、成城は平然と、

「その区別は、私には意味がない……錯覚《さっかく》と実際との判別を先に付ける必然を、私は感じないから――」

　と言う。明日那はため息をついて、

「もう、なに言っているのか今ひとつわかりにくいんだけど……結局負け惜しみ言ってるだけなの？」

「私は、何に負けたことになるの？　その場合は……」

「いや、負けってゆーかさあ――」

　明日那はますます渋い顔になっている。

（————）

そんな二人がやり合っているところを、由紀子は冷たい眼差しで見つめている。

（錯覚、か……さっきのは錯覚かしら？　それとも私にだけ感じられる真実？）

由紀子はぶるるっ、と身震いした。自分にだけ察せられる現象があるという考えは、彼女の心をとても高揚させるものだった。

「ねえ、あんたたちさあ——あの服、ここで着てみなさいよ」

由紀子がそう言うと、成城と明日那は同時に振り返った。

「……え？」

「その方が面白いわ。こんな街のど真ん中であの姿っていうの。刺激があるわ。もしかしたら記憶が戻るかも。やってみる価値はあるんじゃない？」

「えーと——」

明日那は困惑して、ちら、と成城の方を見ると、彼女はもうスポーツバッグを開いてコスチュームを出し始めている。

「ち、ちょっと——」

「反対するような、具体的な理由がない……提案に乗るべき」

ぼそぼそ言いながら彼女はさっさとマントを羽織《はお》る。明日那はとまどいつつも、同じようにする。言い出しっぺの由紀子はそのままニヤニヤしているだけだ。

「そうだ、あんたたちってどっちも強いんでしょ。少しばかりお互いの腕試しをしてみるってのはどうかしら?」

「ええ? なんでそんな――」

明日那が抗議しようとしたところで、その肩を後ろから掴まれる。

成城沙依子が彼女のことを真正面から見据えている。

「確かに――それは確認しておいた方がいい」

そう言うや否や、彼女は明日那の肩を強く押して、突き飛ばした。

「わっ――」

と明日那がよろけたところで、成城が追撃してくる。

ステップを踏んで、一瞬で間合いに入ってきて、そして足払いを掛けてきた。

為す術もなく、明日那は転倒しかける……そこに逆方向からまた突き飛ばされる。

くるくるくる、と駒のように回転して、倒れそうで倒れられない状態で、弄《もてあそ》ばれる。

「ひ、ひぃいいい――」

掠《かす》れた弱々しい悲鳴を上げる。由紀子があきれたように、

「ちょっと、真面目にやんなさいよ。あんたはそんなもんじゃないでしょ?」

と責めてくる。

「だって、私は――」

文句を言おうとしたところで、また目の前に成城が飛び込んでくる。

目深《まぶか》に被った帽子の奥から、上目遣いに見つめてくる冷たい視線が発せられている――その眼が一瞬、なにか別のものに見える。

顔色が異様なまでに蒼白《そうはく》になり、唇は真っ黒い影のようなルージュに染まっている。表情が何を考えているのかまったく不明の、左右非対称に歪んでいて――そして囁く。

〝残念ながら、ぼくは自動的なんでね――君の夢想に付き合うことはできないのさ〟

それは彼女の内部の奥底から響いてくる声だった。男性的でも女性的でも子供でも大人でもないような――死神の声。

（う――）

びくん、と彼女の中で何かが弾ける。身体からすべての力が抜けて……そして漲《みなぎ》る。

爆発するように動き出す。

彼女に、さらに一撃を加えようとしていた成城の手が、すかっ、と空振りする。

そこにいたはずの者が、目の前から消えている。そして成城の視界に、床のフローリングが、
その異状が目に入る。

さっきまで明日那が立っていた場所の床の、硬いパネルが――凹《へこ》んでいる。反撥で踏み抜か

れている。

その足跡を刻んだ者は、今——成城は後方を振り向く。

一瞬だけ、遅い。

上体がひねられる前に、首筋に熱いものを感じた。

熱は摩擦だった。あまりの速さで来たので、接触しただけで高温になっていたのだ。その熱の質を把握するよりもさらに速く、その箇所が握り潰されるかと思えるほどの圧力が掛かる。

「………!」

後ろに回っていた不破明日那が、成城沙依子の首根っこを摑んでいたのだった。そして、そこで停まらない。

「——」

無表情のまま、明日那はその腕を動かす。

成城を摑んで、まるでバスタオルか何かのように軽々と振り回す。

「な——」

成城が対応するよりも、さらに速く明日那はその手を離す。壁に向かって投げつける。およそ少女の体格で実現できる膂力ではない——成城はコンクリートの壁に叩きつけられて、戦闘用合成人間であっても防御しきれない衝撃を受けて、

「がっ……!」

と口から血を吐いた。

そこに、さらに明日那が迫っていく。その無表情の顔にはなんの感情もなく、まるで機械のように、ただ——自動的に敵を排除するだけの存在となっていた。

「ぐ、ぐぐ——」

成城は体勢を立て直せない。身体をよじるが、回復までは数秒かかる。その余裕はない——明日那が接近してくる。

「ぐ……」

成城は首をよじった。その拍子に、頭に被っていた帽子が落ちて、素顔が露わになった。

すると——その途端、明日那の動きも、ぴたり、と停まる。

「おまえ——ブギーポップじゃ、ない……」

声が漏れる。え、と成城が眉をひそめたところで、明日那は急に周囲を見回し始めて、そして——通路の一部の装飾に使われている鏡の方を見て、そこで固まる。

そこに映っているのは、黒帽子の扮装をした自分自身だ。

なんでもないはずのその様子を見て、明日那に再び異変が生じる。

彼女は突然に、全力疾走で走り出し、鏡に向かっていった。

正面衝突で、彼女は鏡に顔面を打ちつけて、そして倒れた。

ぴく、ぴく——と痙攣している。

「……おいおい」

そこに、おそるおそる狭間由紀子が近づいていく。ちょんちょん、と靴の爪先《つまさき》で明日那をつつく。動かないのを確認して、その頭から帽子を脱がせる。

「――どうなってんの、こいつ……？」

由紀子が首を傾げていると、なんとか立ち直った成城がふらつきながらやって来た。

「……いきなり、強くなった」

声はまだ掠れている。由紀子は少し唇を尖らせて、

「成城、もしあんたがふつうの人間だったら、生きてる？」

と訊いた。成城は首を左右に振った。

「首を摑まれた時点で、即死――手加減は一切なかった」

「まさに死神、って？　でもこいつ……まるで区別がついていないみたいだった。そう、変装したあんたや、自分自身と、その――ブギーポップとを」

本物のブギーポップとを、だ――こいつはブギーポップの敵だったのだろうか？

（それで返り討ちにあって、記憶がなくなった？　そういうことなのかしら――今のは、一瞬だけその本性が蘇《よみがえ》ったと――）

由紀子は成城の方を見る。彼女もうなずいてくる。そして戦うために生まれてきた合成人間の少女は、

「明日那の無意識に、充満している――ブギーポップに対する恐怖が、本能にまで染み込んでいる、と見るべき」

そう言った。それから首を少し振って、

「そしてもうひとつ――これは確実なのだけれど」

と、しゃがみ込んで明日那の頬を撫でる。その皮膚《ひふ》の感触を確かめて、言う。

「彼女は合成人間――統和機構《とうわきこう》によって生み出された存在」

「え？」

「今の戦いでわかった――不意に反応されたから反撃に失敗したけど、パワーは私と同等で、そして私の首を摑んだとき、彼女は――自分の握力《あくりょく》で私の首を握りつぶせないことを、即座に理解していた。だからすぐに投げに移った。戦闘訓練を受けている――私と同じような。記憶はなくても、肉体が反応していた」

「――でも、こいつって家があるのよ。家族がいるわ？　あんたと同類だったら――そんなものいないはずでしょう？」

「だから、次に確かめるのは不破明日那の両親と言っている者たち、ということになる……なにか知っている、絶対に」

成城は淡々と告げる。

「彼女の家に行ってみるべき。直接、彼らに話を聞くのが早い」

「じゃあとりあえず、こいつを起こさないと……また暴れるとアレだから、あんたがやってよ」

由紀子の根拠のない偉そうな物言いに、特に成城は抗議せず、明日那の身体を起こして、その背中に拳を押し当てて、ぐいっ、と押し込んだ。

ぱちっ——と瞼《まぶた》が開く。

4.

……視界がぼやけている。

曖昧な意識の中で、何かが聞こえてくる。それは背後からひそひそと囁かれているような声だ。

〝……せ、倒せ、倒せ、ブギーポップを倒せ……忘れてはならない。ブギーポップを倒すことだけは忘れてはならない……他の何もかもを忘れても……ブギーポップだけは……奴さえ倒せば……きっと忘れなくなる……倒せ、倒せ、倒せ……敵を、ブギーポップを排除すれば……きっと……このパラダイム・ラストが、彼女を……ふたたび……〟

その声は震えている。恐怖に怯えている。今にも泣き出しそうな声で、そして——知らない声だ。

（――――）

視界はぼやけていて、もやもやと揺らいでいる。その白い空白の中に、なにかがいる。

左右非対称に歪んだ黒いルージュが、近づいてきているのか、遠ざかっているのか、どちらともつかない不安定さで、視界の中にいる。じっとこっちを見ているような、しかしどこかで決定的に、こちらのことに関心がないような――そんな微妙な間隔がある。

〝倒せ、倒せ、倒せ、倒せ――ブギーポップを――〟

その声もどんどん薄れていく。視界も白い茫洋《ぼうよう》としたものから、影が混じった硬質的なものに変化していき――

「……あ」

――そして、目の前に自分を覗き込んでくる二人の少女が目に入る。

一瞬、誰だろうと思う――でもすぐに思い出す。

「――狭間由紀子と、成城沙依子――」

そう呟くと、由紀子が苦笑して、

「どうやら忘れていないみたいね。でも、自分がたった今、何をしていたのかは覚えてる？」

と訊いてきた。え、と眉をひそめようとして、ずきり、と額《ひたい》に痛みを感じた。触れると、痺れているような感触がある――

「なに、これ――」

「あーあ、やっぱり覚えていないか。そんな感じしてたんだよねー」

「おそらく、記憶喪失の原因と関連がある……」

二人は勝手にうなずき合っている。明日那は何がなんだかわからない。

（確か――狭間さんに、成城さんと戦え、とか言われたような――どうなってる？）

そこで明日那は、成城の身体に奇妙な痕跡があるのに気づいた。

首の周りに、くっきりと赤黒い痣《あざ》ができている――爪痕《つめあと》がついている。

自分の手を見る……爪の間に赤いものが残っている。

血だ。

「私が……？」

「あんたは化け物なの。それを自覚した方がいいわよ」

由紀子が突き放したように言う。

「私は――」

明日那が茫然としていると、首の傷痕を隠そうともしない成城が静かに、

「自分の正体を知りたいなら――私をあなたの家に招待して」

と言った。なんだか駄洒落《だじゃれ》のようになっているが、本人は真顔である。

「それは、どういう――」

「もう手っ取り早く、あんたの親に話を聞こうってことよ。あんたが訊きにくいんだったら、私たちが訊いてあげるわ」

由紀子が割り込んできた。明日那は二人のことをぼんやりと見つめる。二人も見つめ返してくる。

沈黙が続き、どちらも目を逸《そ》らさない。

「――」

「…………」

「――」

＊

――そして三十分後、三人は不破家のリビングルームでテーブルを囲んで立ちすくんでいた。

「…………」

またしても絶句している明日那の隣で、成城がテーブルに置かれた置き手紙を手にとって、音読しはじめる。

「――ごめんなさい明日那。お母さんとお父さんはしばらく留守《るす》にします。どうしても済まさなければならない用事ができてしまったのです。あなたが今、不安定な状態にあることはわかっていますが、仕方のないことなのです。何もしないで、静かに待っていてください。きっと帰ってきますから。心配しないでください――」

成城は顔を上げて、

「以上。なにか感想は？」

と明日那に訊ねてきたが、返事ができるはずもなく、明日那は茫然とするだけだ。すると由紀子が腕を組んで、

「ふうむ――勘づかれたのかな？」

と知った風なことを言う。

「やっぱり何か知っていて、私たちが来ることが前もってわかったから、逃げたのかな」

「どうして事前に察知できたの？」

「それは知らないわよ。あんたの組織だかなんかに密告者でもいるんじゃないの？」

「私は、不破明日那の家族についての報告は誰にもしていないから、その可能性は低い」

「あっそう。ねえ明日那、あんた、なにか思い当たる節《ふし》はないの？」

「…………」

明日那は、へなへな、とその場に座り込んでしまう。

なんなのだろう、これは——自分はいったいなんなのだろう？

……自失状態の明日那を、狭間由紀子は見下ろしている。

ちら、と横の成城を見る。彼女も明日那のことを見つめている。観察している。

（この二人は不思議な連中——一般の人間たちとは、明らかに異質の存在。ここでは私だけが、ふつうの人間ということになる……でも）

由紀子は、自分がひどく冷静であることに少しだけ戸惑っていた。

（ふつうの、他の凡庸《ぼんよう》な奴らと代わり映えのしないはずの私が、どういうわけかこんな異様な状況の中に、平然と混ざっている……いったいこれはどういう事態なんだろうか。私は——なにかに導かれているのか）

あの白い少女——。

彼女が、由紀子を誘っているのだろうか。この奇妙なる運命に……

（この明日那……どうやらこいつはブギーポップじゃない。むしろ、その敵だったみたいな印象がある……つまり）

早乙女正美と百合原美奈子たちと、同じような存在——ということになるのだろうか。

（私は——私も……）

あの二人が辿った道筋を歩んでいるのか、そう考えると、由紀子の背筋が妙にぞくりとしてきて、身体が小刻みに震え出すような昂揚《こうよう》が全身を包んだ。

（しかし、私だけがこの中で、存在意義がない……組織に命じられている成城や、記憶を取り戻したい明日那のような目的がない——でも私は誰よりも真剣に、ブギーポップに近づきたいと念じている。私の、この想いを貫くためには、成城と明日那に対してあくまでも厚顔無恥《こうがんむち》に、さも肝心のことを把握しているように振る舞わなくては——）

狭間由紀子は、彼女の中だけで成立している論理に従って行動している。そこにはあるものが欠けているのだが、それは彼女には感知できないことだった。

ちょっと自意識過剰なだけだったはずの少女の感情から〝恐怖〟というものが欠落している——不自然に喪失していることに、まだ誰も気づいていない。

blank/3——信頼／虚偽

……しかしながらこの“死神”の噂をするとき、
少女たちはまったくふざけた様子がない。
そういうルールになっているかのように、
実際に存在しているものとして噂する。
疑うのは野暮だ、とでもいうかのように——

——早見壬敦〈仮称ブギーポップ〉

……彼女はある日、唐突に私に聞いてきた。

「あなたは何か信じているものがある？」

もちろんあなたのことを信じている、と応えると、彼女はどういう訳か少し顔を曇らせて、

「それがあなたの限界よ。何かを信じるということは、そこに線を引いてしまうことなのだから。信じてしまった時点で、そのことについて考えることをやめてしまうのが人間というもの――そもそも信じるというのは防衛本能に由来するものなのだから、仕方がないのだけど」

とかなり難解なことを、ブルースでも口ずさむような優美な声で言う。

信じるのが防衛、というのはどういう意味か、と訊いてみると、彼女は不思議そうな目を向けてきて、

「あなたは、何かを信じないときに、それに対してどのような姿勢を取るかしら？　拒絶？　それとも無視？　いずれにせよ、人は信じられないものとは距離を置こうとする。それはそうよね、信じられないというのは、それが自分に対して牙を剝くかも知れないということでもあるのだから。信じられるものだけを身近に置いておきたいと誰もが願っている――でもね」

彼女は、彼女にだけ許されているような、何に立脚しているのかまるでわからない根拠不明

の微笑みを浮かべる。

「この世に信じるに足るものなんて、ひとつも存在しない――どんな宗教も、神は天上におわすという。それはつまり、この地上の人間世界の何処にも神という絶対的信仰の対象はいないということでもある――あらゆるものは常に疑いの対象であり、同時に頼らなければならない拠《よ》り所でもある。その困難を受け入れてこそ、初めて人は己の意思というものを持つことができるのよ。でも……」

彼女の眼はいつも、今目の前にあるものではなく、遙かに遠いものを見ているようである。

「でもそれは苦しい道でもある。だから人は、どこかで適当に手を打つ――苦しみに耐えられなくなって、判断停止に陥る。自己防衛本能が、目先の苦痛からとにかく逃れようとするのよ。これもまた、人が人である以上、避けられないことではあるんでしょうね……」

彼女は私を見つめ続けているのだが、それはなんだか私にではなく、私がこれまで出会ってきたすべての人々全員に対して言っているようでもある。そしてこれから遭遇するあらゆる者たちにも。

「あなたが私を信じている以上、あなたは私の先には行けない。それがあなたの限界。それが人の限界。だから――それを突破するためには、きっとどこかで私たちは人間というものを考え直す必要がある。これまで定義されてきた人間性というものは、ほんとうにヒトという可能性を、そのイマジネーションを十全《じゅうぜん》に表現しているのか……少なくとも、私はそれを疑っている。だから私は、私というものを信じていない……と、これははっきりと断言できるわ」

彼女のあまりにもまっすぐな視線に、私はつい眼を伏せてしまった。すると彼女は、ふふっ、と笑って、

「まあ、信じていないことをムキになって信じている、というのならば、私も所詮は悲しい自己防衛本能に囚われたヒトの一人に過ぎないことにはなるけどね——」

と言った。しかしその声は、さっきまでのものとは違い、この世の誰にも届ける気がないような、そういう散漫《さんまん》な響きがどこか漂っている声だった。

1.

〈フットプリンツ〉こと成城沙依子——彼女もある意味では、不破明日那ととても似ている。人生経験が欠落しているのだ。

戦闘用合成人間として生み出された彼女にはそもそも人生がない。ただただ任務を遂行するために生きているだけだ。

彼女が物心《ものごころ》ついた直後に、一緒に訓練を積んだ少年は、彼女に向かってよくこんなことを言っていた。

「たぶん、僕らはどうにもならないだろうね」

　彼は、戦闘用としては決して強力な方ではないタイプだった。手から滲《にじ》み出る劇薬の化学反応で人体を一瞬で蒸発させられるという殺人能力を有していたが、そのためには相手に直に触れなければならず、遠距離から攻撃できる砲撃タイプに比べたら、戦闘パターンの狭さから、あきらかに不利な面があった。

　しかし――それでも彼は戦闘の天才だった。能力の性質とは関係なく、センスが卓越していた。相手との間合いの計り方が超絶的に優れていて、演習でどんな相手と戦わされても、誰にも負けなかった。相手が彼を射程内に捉えることができないのだ。遠すぎるか、気づいたらすぐ近くまで忍び寄って来られているのだった。彼女も何度かやりあったが、一度も勝てなかった。

　どうしてそんなに強いのか、と訊いてみたことがある。彼は少し困ったような顔をして、

「それ、意味あるのかな」

　と言った。

「どうして？」

「君は僕じゃないし、僕も君じゃない。僕のやり方は君には無意味だろう。逆に君のやり方も僕には使えない」

　彼の能力と彼女の〈フットプリンツ〉はともに生物の肉体を破壊する性質がある。似ているのではないか、そう言い返すと、彼は少しだけ微笑んだ。

その微笑みを見て、彼女はどきりと胸を突き刺されたような気がした。

「似ているのって表面だけだよ――僕らは結局、お互いのことなんて何もわからないままに終わるんだから」

彼の口調は決して冷たいわけでなく、むしろ柔らかい響きがある。

「そもそも、強いからどうっていうこともない。僕らは全員、どうにもならない状況のなかにいるだけで、そこから出ることなんてできないんだから。強いとか弱いとかこだわってもしょうがない。統和機構から与えられる任務をこなすだけだ。上の人たちは僕らの能力を量ってから命令する。強いとか弱いっていうのは、しょせん偉い人たちのための参考データに過ぎない」

「……でも、弱いよりはいいわ」

「まさかとは思うけど、君は演習で僕に負けたとか思っているのかい」

「負けた――でしょ」

「あんなものは単にデータを提供しただけだ。僕らとは何の関係もないよ」

「自分が上だと思わないの？」

「僕が上だったとしたら、どうなるんだい。君に命令するのか？　僕の代わりに戦ってくれ、って――馬鹿馬鹿しい。僕らは盤上で操られるチェスの駒だ。戦うときは結局――自分だけだ。君は君のやり方で、別の駒を取るしかない。僕とは違う方法でね」

「でも弱すぎると、処分されるわ」

「君は少なくともそうじゃないだろう。だったら、そんなことを考えてもしょうがない。それとも処分されていった者たちの代わりに立ち上がって、統和機構に戦いを挑むか?」

「……意地悪な言い方だわ、それ」

「気を悪くしたら、謝るよ。でも、その犠牲者たちも、君も、僕も……結局はバラバラな立場の存在でしかない。どうにもならないよ」

投げやりに言う、その声も優しい。

「でも、だったらどうすればいいの、私」

「僕に答えられることは何もないよ」

彼の、その戦士としての面影など微塵も感じられない脆《もろ》そうな横顔を見ながら、彼女は心の中で、

(そうじゃない――)

と呟いていた。

(どうすればいいのか、それを答えて欲しいんじゃない――私は、君に何もしてあげられないのか、と――そう言いたかったんだけど……でも)

それはどうしてもうまく言えないことだった。彼の方が強いし、立場も上で、そんな彼に彼女が言えることは何もなかったのだ。

やがて訓練も終わって、彼ともそこで別れた。〈ユージン〉というコードネームを持ってい

た彼は、天色優《てんじきゆう》という名前でどこかに送り込まれたらしいと後から聞いたが、現在は行方《ゆくえ》不明で、死体も発見されていないという――あれほど強く、どんな敵に対しても最適の間合いを計るのが天才的だった彼も、手も足も出ない相手と遭遇して敗北したのか。それとも――。

〝僕らはどうにもならない〟

彼が言った言葉は、あのときの胸の軋みと共に今も成城の心の中に突き刺さっている。

（私には、彼のやり方はできない――）

（私は、私のやり方で、戦うしかない――操る上とは関係なく、自分だけで）

それが〈フットプリンツ〉こと成城沙依子の基本的な姿勢である。

＊

プリントアウトされた写真の中で、小さな女の子が泣きべそをかいている。アルバムには他にも同様の写真がたくさん並んでいる。全部、不破明日那の幼い頃から現在に至る姿だ。

「こーゆーのを見ても、何も思い出さないの？」

由紀子が訊くと、明日那は弱々しくうなずく。

「正直、ぜんぜんピンと来ない――」

「ふうん……」

由紀子はアルバムと明日那を何度も交互に見返して、

「でも、これってほんとうにあんたなのかな」

と言った。え、と明日那が顔を上げる。

「どういうこと?」

「いや、偽造かも知れないって思って。あんたって実は、不破明日那じゃないのかも」

「……………」

「不破明日那って女の子は、どこか別のところにいて、あんたはそれとすり替わっているのかも。どう?　そんな気がしない?」

「……そんなこと言われても、何も——でも、だったら私は」

「それはまだわかんないけどね」

不安そうな明日那に対し、由紀子はひたすらに無責任である。

不破家のリビングルームで、彼女はまるで自分の家であるかのように遠慮《えんりょ》のない態度でソファーに腰掛けている。帰る気はぜんぜんなさそうだった。

「でも、狭間さん——ほんとに泊まるの?」

「あんたがどうにかなるまで、私は見捨てたりしないわ」

妙に恩着せがましく言う。

「それともあんた、今、一人っきりで大丈夫だって自信あるの?」

「いや、それは――そうだけど……」

「安心しなさい。別にメシを用意しろとか言わないから。なんなら私が作ってあげようか」

「い、いや……冷凍食品があるみたいだから」

「そう？　私、料理けっこう得意なのよ。いつでも自炊できるように練習してるから」

「狭間さんの親は、怒ったりしないの？」

明日那の問いに、一瞬だけ由紀子の顔が強張った。

「――――」

すごく冷たい眼になる――だがそれは一瞬で、すぐに、

「まあ、私の方は気にしなくていいから」

と素《そ》っ気《け》ない口調で言った。

「でも――」

「それより、成城のやつが何を聞いてくるか気になるわね。仲間に情報をもらいに行く、って言ってたけど……あいつの属してる組織って、具体的に何をしてる連中なのかしら。なんか思い当たらない？」

「なんで私が知ってるのよ……」

明日那はため息をついた。

*

「報告は以上です……が」

成城沙依子は目の前に立つ男に、やや抗議するような目を向けている。

「なんだ？　なにか言いたいことでもあるのか」

二人は夜の、人気のない公園のほぼ中心地点に立っている。園内には照明の類がなく、道路からも離れているので明かりは全然ない。真っ暗だ。だが二人はそんなことにはまったく影響されないようで、平然と視線を交わしあっている。

「今後の調査を継続するため——秘匿《ひとく》情報の解禁の申請、を——」

「それは却下《きやつか》だ。君にレベル４以上の情報は提供されない」

「しかし、現在の状況ではさらなる情報が不可欠と考えられ——」

「その判断は他の者がする。君はそのまま不破明日那を観察し続けるんだ」

（これは——）

男の口調はさりげなく、それ故に成城の疑念が確信に変わる。

（私は……私が、疑われている——統和機構に危険視されている……）

どうしてそういうことになっているのか、まったく見当がつかないが——彼女は追い詰められている。

と思ったところで、彼女の脳裏に浮かび上がるイメージがある。

そのイメージは現実の風景と重なり、映像のように彼女の視界にも投影される。

イメージは、少年の形をしている――それは彼女がこれまで出会った中で、もっとも印象に残っている人物だった。

ユージン――天色優の姿をしている。

「これはなんだか、まずいことになっているようだね？」

ユージンのイメージが、そう話しかけてくる。

「君は、なんだか疑われているみたいだ――対応した方がいいかもね」

慣れた調子で、妄想《もうそう》のユージンは彼女に語りかけてくる。

そう――慣れている。いつものことだった。成城沙依子はいつも、自分では手に負えそうもない事態に遭遇すると、心の中で〝彼〟を呼び出すのだ。

〝彼〟は賢明であり、彼女の代わりに難しいことを考えてくれる――

「ここはとりあえず、明日那は統和機構の合成人間なのか、という質問をしてみて様子を見たらどうだい」

イメージにそう忠告されると同時に、彼女の口は動いている。あるいは聞いているような気がしているだけで、そこに時間差はないのかも知れない。すべては成城の心の中の話なのだから。

「彼女は――統和機構の合成人間――？」

「それも君が知る必要のないことだ」

男のつっけんどんな反応に、妄想ユージンが苦笑して、

「あらら、これはまいったね。ずいぶんとつれない反応だ。でもここでそのまま引き下がると疑惑を認めることになりそうだから、もう少し突っ込んでみようか。そう、味方か敵か――」

「――味方か敵か、恣意《しい》的造反者か、状況被害者か、私には知っておくべき必要があるかと」

「その判断も君がする必要はないな――ただ、不破明日那が危険な行動を取り始めるかどうかを監視し続ければいい」

「おやおや。こいつはちょっとした最後通告っぽいね。どうやら追及できるのはここまでのようだよ。そろそろ引き下がり時だ。でもあんまり素直に受け入れるのも、なんかやる気がないみたいで、それはそれでまずそうだ。一応、もうひとつ訊いておいたら？　そう、不破明日那が記憶を失った理由は――」

「――不破明日那が記憶を失った理由は、既に判明しているのですか」

成城がなおも問うと、男は少しだけ笑って、

「それは君の疑問か？」

と訊き返してきた。

「え？」

一瞬、どきりとする。妄想ユージンのことがこいつにもわかっているのか、と――しかし男の横で、そのユージンのイメージが笑いながら手を振って、

「ないない。そういうことじゃない――彼がいくら鋭い感覚の持ち主でも、僕のことは君以外の誰にもわかるはずがない。僕は君にしか見えないし、君としか話をしない存在なんだから」

と言った。そして男が、その発言を引き取るように、

「もしかして、不破明日那に教えてやりたい、とか思っているのか？　友情でも芽生えたか」

と言ってきた。妄想ユージンが、ねっ、という表情でウインクしてくる。成城はホッとして、

「いや、私は――」

と否定しようとした。そこで男がやや強めの調子で問いかけてくる。

「では、知らなくていいと言われているのに、なぜ食い下がるんだ？　それは君の主体性の表れということになる――好奇心か？」

「………………」

無言の成城の前で、妄想ユージンが唇に指を立てて、しーっ、とジェスチャーしている。ここは何も言うな、と指示している。成城はそれに従う。その彼女に、男はさらに
「君の中に何か変化が生じているのか？　君は私の生徒の中でも、かなり任務に忠実に行動するタイプだったが？　なにかあったのか。それは君の報告の中にはなかったようだが。まだ言

っていないことがあるのか」

と問い詰めてくる。妄想ユージンが肩をすくめて、首を左右に振っている。否定しろ、と指示している。

「別に──そういう訳ではありません」

「なら、余計なことは知らなくてもいいだろう？」

「………………」

「ところで、念のためにもう一度訊くが……ほんとうに何か忘れていることはないのか？」

「ずいぶんと念を押されるねえ──これはなにかあるんだね。それほどに不破明日那の失われた記憶の中に危険なものが潜んでいるのだろうか。いや、これはそういうものではなく、なんというか、まるで、奪われてしまったようだよ──君が有していたはずの〝信頼〟が、気がついたら失われてしまっていた──そういう感じの、一種の不条理が襲いかかってきているとしか言いようがないね」

妄想ユージンが淡々とした調子で言う。過去に、彼女の知っていた現実の彼は、どんなときでも決して動揺しない落ち着いた男の子だった。だから妄想の中でもそういう態度しか取らない。

成城沙依子──彼女が他人に対して言葉が少ないのは、その前に心の中で充分以上のお喋りを妄想で済ませてしまっているからだ。他人と意思を疎通するのは、彼女の中では常に二の次のことでしかない。

（私は……どうにかしない限り、明日はないと？）

「そうらしいよ。気を引き締めてかからないと。なあに、なんとかなるよ。僕も手伝うから」

成城は公園一帯の、周囲の気配を探ろうとした。だがなんの気配も感じられない。

逆に、感じなさすぎる……それが彼女が今、包囲されていることを示していた。

目の前の男――コードネームはシュバルツ。彼には手足のように動く部下たちがいる。戦闘チーム〈バーゲン・ワーゲン〉――そいつらが全員、彼女のことを狙っている――何かあったらすぐに攻撃してくるだろう。さすがの〈フットプリンツ〉でも、同格の戦闘用合成人間の集団に一人で対抗するのは不可能だ。そもそもシュバルツだけでも、彼女よりも強力な能力を持っているのだ。彼女が知る限り、訓練でシュバルツ教官と対等以上に渡り合えたのは本物のユージンだけだった。

「君が勝てるかどうかはなんとも言えないが、戦うべきではないのは確かだね」

妄想ユージンの忠告に、彼女は、

（うん、わかってる――）

と心の中でうなずく。

ここでシュバルツは思い出したように、

「ところで――君は信じているのか。その狭間由紀子という少女が言っている、死神ブギーポップとやらを。そういう者が実在すると感じているか？　用意させた衣装は、あれで良かったのかな」

と訊いてきた。妄想ユージンが腕を組んで、首を傾げる。

「おや、これはちょっと不自然だね。なんとなく話を逸らそうとしている感触があるよ。不破明日那から論点をずらしたいようだね、彼は。ここはそのまま話にのっかっても良さげだ。素直に答えよう。今のところ——」

「——今のところ、ただの無責任な噂の域を出ないと思われます」

「名前だけが判明しているのも不自然だしな——まあ、そうだろうな。だがカモフラージュとしては使えるようだから、これからもその噂を利用していくといい」

「了解しました」

彼女が返答すると、シュバルツはくるっ、と背を向けて、そのまま去っていく。無防備な背中に見える——

（今、攻撃すればどうなるだろう——）

「少なくとも、立場ははっきりするね。統和機構の敵になるんだ」

（私はいざとなったら、統和機構を裏切ってまで生き延びようとするんだろうか——？）

「君がどちらの道に進もうと、僕だけはいつも君の側にいるけどね」

（…………）

成城がそのまま立っていたら、周囲からざわざわと植木が風に揺れる音が聞こえてきた。様々な気配が伝わってきた。どうやら包囲は解かれたらしい。

緊張がみるみる薄れていく――それと同時に妄想ユージンもいつのまにか視界から消えている。

「ふう――」

彼女はため息をつくと、明日那と由紀子が待っている不破家の方へと戻っていった。

2.

「そもそも、ブギーポップってなんで噂になっているの？」

明日那の問いに、由紀子はふん、と鼻を鳴らして、

「さあね」

と投げやりに言った。

「ただなんとなく、いつのまにか皆が話していたのよ」

「でも、起源があるはずでしょう？　実在するとして、誰かが〝本物〟を見ないと話を広めることもできないでしょうし――」

「もしかして、あんたの過去の行動を誰かが見ていた、とか思っている？」

「考えられないことじゃないと思うわ。だって噂なんだし。見た人も実はよくわかんないまま、適当に話を盛って」

「死神っていうのは、でっち上げだと？」

「そう考えた方が自然だと思うんだけど――」

明日那の仮説に、由紀子は渋い顔である。

確かに一理ある、という気がする。だがそれは彼女が理想とするブギーポップからはとても遠い。中途半端な奴が徘徊しているところを目撃した者が妄想しただけの幻影、ということになってしまう。それはとてもつまらない結論だ。

「あんたの、あの衣装――あれって実用的だと思う？」

「いやあ、とてもそうとは思えないけど……正直、動きにくいし、端を踏みそうになるし」

「じゃあなんで、あんな風に全身をくるんでいるの。あんたは記憶がないかも知れないけど、あれがあんたの発明だったら、その理由には必要があったはず――思いつく？」

「うーん……」

明日那は言葉に詰まる。由紀子はうなずいて、

「だから、たぶんあんたには理由がないのよ。あんたには常人離れした力があるけど、それとあの格好には関連性がない――ということは、つまり」

「つまり――何？」

「何かを真似《まね》ている――その方があり得る話だと思わない？」

「じゃあ――私以外にもあんな変な服装でふらふらしている人がいるってこと？」

「人かどうかは、わからないけどね――それこそ本当に死神かも」

「………………」

明日那は困惑する。彼女にもだんだんわかってきているが――この狭間由紀子という少女はひたすらに〝結論ありき〟の態度しか取らない。

まずブギーポップが実在する、すべての話はそこから展開する。だから今の話も、なんとなく辻褄《つじつま》が合っているようだが、しかし由紀子の思いこみが強すぎて、どこまで正しいと受けとめていいのか、わからない――。

明日那が疑わしそうな顔をしているのに気づいたのか、由紀子は少し笑って、

「私がムキになっている、と思っている？」

と訊いてきた。明日那が返事をしないでいると、由紀子は肩をすくめて、

「確かにそうかも知れないけど、それはお互い様かもよ？」

と妙なことを言う。

「え？」

「私とは逆に、あんたはなんだか、ブギーポップを否定したがっているようなところがないかしら。そう――怖がっている、みたいな」

そう言われて、明日那はどきりとした。

「それは――」

「思うんだけど、あんたの記憶って――ブギーポップに奪われたんじゃないかな。さっきの件でそう思ったんだけど」

「私は――」

「覚えていないんでしょ、自分が暴れたの。記憶がなくなっている訳よね――ブギーポップが絡むと、あんたは記憶をなくす。違うかしら。これ、否定できる？」

「――――」

問われて、明日那は何も言えなくなる。由紀子はさらに、

「可能性はいくつかあると思うんだけど――あんたってブギーポップに見逃されたんじゃないかな？　殺す程じゃない、って」

「許してもらえた、っていうの？」

「いや、その反対よ。あんたに大して価値がないから、生命を取らずに記憶だけで済ませた、っていう風に」

「……何が違うの？」

「いや、全然違うからこれ。肝心要《かんじんかなめ》のトコだから」

「よくわかんないけど――」

「ブギーポップに殺してもらうのは、すなわち死神に認められたってことだから。これはもう、特別なことなのよ」

「………………」

また始まった。彼女の死神礼賛癖《らいさん》はどうあっても揺らがないようだ。しかし他人に対する説得力の不足もまったく変わらず、明日那は返事のしようがない。

「あんたはブギーポップを調べていて、その手掛かりくらいは掴んでいたんじゃないかな。でもそのときに何かトラウマがあって、それで今は無意識に、無駄に怖がりすぎて意識するのを拒絶している、とか――あり得るわよ」

「じゃあ私はなんだったの？」

「成城と同じ組織だか機構だかにいたんじゃないの。なんか同類っぽいらしいし。上から命令されてブギーポップを調べてて」

「でも成城さんはブギーポップって名前も知らなかったのに。同じ立場だったら、そんなのあり得ないと思うんだけど――」

「それは単に、成城のやつが上の信頼を得ていない、ってだけの話じゃないの？」

由紀子が適当な口調でそう言ったとき、彼女たちの後ろから、

「――それ、陰口……」

という声が聞こえてきた。振り向くと、いつのまにか戻ってきていた成城沙依子が廊下に立

っている。

「人のいないところで悪口——いい趣味とは言えない」

「わっ」

と明日那は驚いて仰け反《のぞ》ってしまったが、由紀子の方は平然と、

「どっから入ってきたのよ。玄関が開く音とか、一切しなかったんだけど」

「二階の窓、開いてた」

「あんたは猫か——いや、猫だってそこまで身軽じゃないか」

「ふ、ふつうに来てよもう——心臓に悪いわ」

明日那は胸を押さえながら、息を整えようとする。

「ちょっと、用心した——」

成城は二人を見つめながら言う。由紀子が眉をひそめて、

「何をよ？」

と訊くと、成城は静かな口調で、

「あなたたちが、私を待ち伏せしていて、奇襲してこないか、どうか——確かめた」

と言う。明日那が困惑して、

「なんでそんなことをわざわざしなきゃならないの？　私たちが」

「まあ、さっきのドタバタを思えば、いきなり襲われても不思議じゃないか——でも、だった

らあんた、私の方は見捨ててたってことになるわね。冷徹なもんだわ」

由紀子も苦笑しながら言った。そしてぱん、と手を叩いて、

「じゃ、三人揃《そろ》ったところでとりあえず晩飯にしましょうか。冷凍食品があるって言ってたわよね？」

と立ち上がって、キッチンの方に行く。明日那も慌ててついていく。

その二人の背後から、成城は、

「――――」

と鋭く観察している。彼女たちから殺気は一切感じない。警戒している様子もない。

（…………）

二人の横に、すうっ、と妄想ユージンが現れる。少女たちに目を向けて、

「考えているね？　自分の今後の命運を握っているはずの不破明日那の記憶を、はたして取り戻した方がいいのかどうか」

というその声は、もちろん彼女の心の中にしか届かない。

「不破明日那が統和機構の、君よりも上位のメンバーで、かつその失われた記憶の中に危険な秘密が隠されているのだとしたら――このままの方がいい、かも知れない――と、そう思っているんだね？　先刻の、突発的に戦闘的になったときの明日那は、どう見ても平穏な生活を送っていた者とは思えない。ならば記憶をなくして、ふつうの少女と同じような精神を持ってい

る現在の方がマシなんじゃないか――そういう感じだよね」

（しかし――）

「そうだね、それには邪魔なものが存在しているよね」

（ブギーポップ――）

「消された記憶の中に潜んでいるらしいそいつは、この均衡《きんこう》状態を破壊するだろうね。ブギーポップには近づくべきではない。あくまでも街に出現している、あの動く死体の現象に対処すべきだろう。本来、君に与えられている任務は、この地域の監視であり、異常な事態が生じているならその正体を探る偵察なのだから。余計なことをするべきではない。それは君の立場からは」

（どうにもならない――）

「そう、僕だったらそんなものには近づかない。間合いをとるだろう。君はそう思っている」

（そのためには……）

成城は傍目にはぼんやりとしているように見える眼差しで、狭間由紀子の背中を見ている。他人の家の冷蔵庫を無遠慮にごそごそ探っている少女に、ひんやりとした冷たい視線を向けている。

「彼女に〝壁〟になってもらう――そうするのがベターな選択だろうね」

妄想ユージンはうなずきながらそう言う。

3.

冷凍食品のパエリアと海老《えび》グラタンを囲んで、三人の少女たちはだらだらと言い合いを続けている。

「とにかくさあ、ひたすらに続けるしかないと思うのよね——不破が本物のブギーポップを追いかけていたのはたぶん確実だからさ。うろつき回っている内に本物の怒りを買って、きっと向こうから現れてくれるわ」

「なんか挑発してるみたいな話ね」

「いや、実際に挑発するのよ」

「なんでわざわざそんな、敵対するのが前提みたいなことをしなきゃならないの？」

「それは元々、あんたがやってたことでしょうよ」

「そうとは言い切れないんじゃ——成城さんはどう思うの？」

「不破さんを狙っているのが何者であれ、降りかかる火の粉を払わないと——ブギーポップかどうかは——さておき」

「いや、さておかないでよ。大事なところでしょうが」

「それは狭間さんがそう言ってるだけだし……」

言いかけて、しかし明日那は途中で口をつぐんだ。この話は堂々巡りにしかならない。その代わりに彼女は、疑問に思っていたことを言う。

「でも――どうしてみんな、ブギーポップを噂しているのかしら」

「あん？」

「だって、人を殺すヤツのことでしょう？　気味が悪いわ。なんでそんな怖い話を面白がってこそこそ話し合っているの？」

「なるほど――確かに」

成城がうなずくと、由紀子は、はん、と鼻を鳴らして、

「あんたたち、感受性がホントに乏しいのね。まあ記憶がなかったり、戦闘ロボットなんだから仕方がないけど」

「機械化されていないから、ロボットじゃない。生体を強化されているだけ――」

「そんな細かいことはどうでもいいのよ。ブギーポップに惹《ひ》かれないなんて、心が死んでいるのよ」

「でも、不気味だわ――落ち着かない気分になるわ」

「だからぞくぞくするんじゃない。つまんない日常に風穴《かざあな》を開けてくれるような気がして。刺激的だわ」

「刺激って――みんな、そんなにいつも退屈しているの？」

「してるわよ。いっつも同じことの繰り返しよ。うんざりしてるわ。わかりきったことを、決まり切ったやり方で、何度も何度も反復して——全部、前に誰かがやったことをなぞっているだけ。それがどんな馬鹿げているか、薄々勘づいているのに、それ以外のことを思いつけない。想像力ってもんがないのよ」

彼女は相変わらず、まるで芝居のセリフのようにぺらぺらと早口で喋《しゃべ》る。

「だからせめて、ブギーポップがいたら面白いかな、って思うのよ。くだらない連鎖から解き放ってくれるような気がして」

「せめて、って——自分でも願望だって認めてるんじゃない？」

「ええ。そう思っていたわよ——不破明日那、屋上で黒ずくめの姿でカラスを吹っ飛ばしたあんたを見るまではね」

見つめてくる由紀子の眼は、ぎらぎらと異様な光を放っている。

「いずれわかるわよ——あんたが記憶を取り戻せさえすれば」

「そうなったらいいんだけど——でも」

明日那は不安そうな顔になる。

「あのゾンビみたいなカラスとか犬とかが、敵意を持って私に向かってきているのなら——私、なにか悪いことをして、恨まれているのかも知れない。だとしたら——謝った方がいいのかも」

「弱気ねえ。そもそもあいつらにふつうの生き物みたいな意思なんかもうなさそうだけど。ただ襲来《しゅうらい》してくるだけなんだから」

「でも、操っている人がいたら？　そう、それこそブギーポップが――」

そう言いかけたところで、由紀子が、

「あんた、馬鹿にしてんの？」

と急に凄んできた。

「な、なによ？」

「ブギーポップをなんだと思っているのよ？　そんなつまんない奴だって考えてるの？」

由紀子の論理は我田引水《がでんいんすい》がひどく、何に怒っているかさえよくわからない。

絶句してしまった明日那の横から、成城が静かに、

「ブギーポップは、由紀子に任せればいい――明日那は気にしなくていい」

と言う。他の二人が眉をひそめたところで、さらに、

「――だって、区別できない。由紀子以外の誰にも、正体不明の何かが来たとして、それがブギーポップかどうか――判定できない。気にしてもしょうがない」

と言った。

「――なるほど」

「それはあんたたちが鈍いだけじゃない」

由紀子はまだぷりぷり怒っている。しかしやがて、「はああ」とため息をついて、

「でも——そうかもね。私にしかわからないのかもね。任されるしかないか」

まんざらでもない顔である。

(——)

そんな彼女を見つめている成城の視界の中には妄想ユージンが映っていて、

「こんなところかな。これで由紀子さんもあんまり明日那さんを刺激しなくなるだろうし、実際にブギーポップとやらが現れたら、まず由紀子さんに迫っていくことになるかも知れないし。一石二鳥《いっせきにちょう》だ」

(噂で偽装された存在——おそらくは噂自体が撒き餌の役割を果たしている。由紀子はそれに吸い寄せられている——)

「彼女がどうなるのか、それを見極めてからだよ、君が行動を決定するのは。ここは慎重に行こう」

(わかった——あなたの言う通りにする。そうすれば間違いないから——)

心の中で、成城沙依子はぶつぶつ呟き続けている——。

4.

——翌朝。

まだ夜が明けて間もない払暁《ふつぎょう》に、三人は家を出た。

「いや、しかし何も出掛けるときからこの格好でなくてもいいんじゃ――」

三人共に、黒い帽子と黒いマントを着込んで、玄関の門をくぐる。

「馬鹿ね。そういうつまらないためらいが状況を停滞させるのよ。こういうことは思い切りが必要なの。そう、それこそわざと目撃されて、ほんとうに噂の主になってやる、ぐらいの気合いでいかないと」

「それはさすがに色々とまずいんじゃ――ねえ、成城さん」

「一応、隠密行動でないと――隠れている標的はつられないと、思う」

「むむ、その辺は難しいところね。まあ、今の時刻だとほとんど人はいないから、バランス的にはいいんじゃないかな」

三人はふらふらと歩き出す。成城が足の裏で異常を感知するまでは、目的地も特にない。

周囲には人影はなく、辺りは静まり返っている――かすかに聞こえてくるのは、鳥の鳴き声くらいだ。

上空を横切っていく黒い塊《かたまり》は、餌を求めて滑空《かっくう》しているカラスだ。生ゴミを狙っているのだろうか。

「なんか、怖い――」

明日那が怯えると、成城が素っ気なく、

「あれは生きてる——普通のカラスよ」

「普通でも、やっぱり怖いわよ——ばさばさと降下してこられたら」

「だらしないわねえ。また一発で、ばしっ、とバラバラに吹っ飛ばせばいいでしょ」

由紀子は無責任に言う。

「あれ、ほんとうに私がやったのかな——その辺も疑わしくなってきてるんだけど」

明日那はひたすらにびくびくと縮こまり続けている。

まだ完全には明け切っていない霞のかかった空のもと、三人は進んでいく。時折、静かな町並みの中で、がしゃん、という音が家の中から聞こえてきたりするのが妙に響いて聞こえる。

カラスが上空をぐるぐると旋回している。

「あー、私、こんな朝早いのって、初めてかも」

由紀子がなんだかしみじみとした口調で言う。

「いつも夜更《よふ》かしばかりしているから、逆に早朝って新鮮だわ——なんか空気がぴりぴりしてる気がするわ。うん、なんか悪くないわね、これも。そう思わない？」

「そんなの感じてる余裕はないわよ……」

「記憶がないのに？」

「記憶がないから、今までどうしていたのか、どう感じていたのかも知らないのよ、私は」

「でも余裕がないとか、怖いとか、そういう感覚だけはやたらと濃密に持っているじゃない。

親にもバレたらまずいって思ったんでしょう？　なんで？」

「なんで、って言われても――」

「ふつう、まず親に言わない？　そういうことは。なんでバレたらまずいって感じたんだろうね、あんたは」

「わかんないよ、そんなの」

「その恐怖に、鍵があると見てるのよ、私は――あんたはいったい、何を怖がっているのかを、ね」

「狭間さんはもう少し怖がった方がいいと思うけど――」

二人が話していると、前を歩いていた成城の足が、ぴたり、と停まった。

「――あった」

ぼそりと呟く。

「なんか怪しい痕跡《こんせき》を感知したのね？　じゃあ追ってみましょ」

「また変なのに出会すの？　ううう、嫌だなあ――」

「あんたが嫌がってどうするのよ。当事者の癖に」

「だって――」

言い争いながらも、二人はすたすたと早足で進んでいく成城の後をついていく。

やがて彼女たちは、電車の線路が横切っている道に差し掛かった。踏切は開いている。当分電車は来ないようだ。

成城はその踏切の真ん中にまで来たところで、

「────」

と立ち停まる。

それから首を右に向けて、身体を横に向ける──線路に対して、正面を向く。

「ちょ、ちょっと──今度は何？　まさか線路の上を歩いていくの？」

明日那が声を上げると、由紀子がその肩を摑んで、

「いいじゃない、いいじゃない。なんか迫ってきてるムードじゃない」

と興奮したように言う。

「────」

二人に返事をせず、成城は線路の方を見つめている。

彼女が感知している、死体のそれとよく似ている痕跡は、確かに線路の向こう側に続いている──しかし、その途上で立ちはだかっているものがある。

ユージンが、線路の上に立っている。

（…………）

成城は、どうして今、妄想ユージンが見えるのだろう、と思った。別に今、彼女は特に考え込む状況にはない。危機に陥っているわけでもない。彼の助けは必要としていないはずだ。

なのに、彼女にしか見えない彼は、線路の上に立っていて、そして、

「これより先に行ってはいけないよ……それが君のためだ」

と言う。

（…………）

どういうことなのだろう。この妄想ユージンはしょせんは、彼女の頭の中で創り出した都合のいい幻想に過ぎないはずだ。彼女が知っていることしか言わないし、彼女が考えていることしかしないはずだ。

しかし今……彼女は思いも寄らないところで、彼と対面している。

（どうして――行ってはいけないの？）

彼女が心の中で訊ねると、彼は悲しげに首を振って、

「その答えを、君は決して想い出せないんだ――しかしそれは、君にとってとても害となる危険なことなんだ。だから――ここから先には行ってはならない」

ユージンはそう言うと、ふっ、とその姿を消してしまう。

「――」

成城はその場で立ちすくむ。足が震え出しそうになっている。だが身体に染みついた訓練の成果で、そういう動揺は表に現れない。

「――？　どうしたの？」

明日那が訊いてくる。成城は彼女の方を、急に、じっ、と見つめる。ほとんど睨みつける。

「え?」

明日那はきょとん、としている。成城はその記憶喪失の少女をさらに数秒、覗き込むように見据える。

かんかんかん、と踏切から警告音が鳴り始める。まだ見えないが、どうやら始発の電車がこちらに向かってきているようだ。

「ちょっと——」

由紀子が言いかけたところで、成城は二人の手を取って、その場から走り出して——そのまま線路を横断して、向こう側に出た。

その背後で、踏切が閉じていく。

振り返ることなく、成城は二人を引っ張って走っていく。

「な、ななな、なんなのよいったい?」

由紀子が駆け足のペースについていけずに、悲鳴を上げた。

それでもしばらく成城は走り続けて、少し離れた路地裏に入ったところで、やっと停まった。

ぜえぜえぜえ、と由紀子は肩で息をして、時折げほげほと咳《せ》き込んでいるが、明日那の方はそういう疲労はなく、ひたすらに不思議そうな顔で、

「どうしたの成城さん——さっきの踏切で、なにかあったの?」

そう訊かれても、成城は何も応えず、

「…………」

と、また明日那のことを見つめてくるだけだった。

blank／4——発覚／断絶

……この“死神”はその人間が最も美しいときに、
それ以上醜くなる前に殺してくれるという。
つまり死にたいと思う者の前に現れるのではなく、
逆に“もうちょっと”と願っている人間をこそ狙うということに——

——早見壬敦〈仮称ブギーポップ〉

……彼女は私にこんなことを言っていた。

「もし人が真実を知ることができたら、きっと何もできなくなるでしょうね」

どうしてか、と私が訊ねると、彼女は微笑んで、

「真実というのは幾つあると思う？」

と逆に訊き返してきた。少し引っかけ問題のような気がしたので、そういうならひとつじゃなくてたくさんあるのかな、と応えると、彼女は首を横に振って、

「いいえ――どちらでもないわ」

と奇妙なことを言った。私がきょとんとすると、彼女はくすくす笑って、

「真実はふたつあるのよ。それらは混じり合うことなくバラバラに断絶している。そのどちらも真実」

と不思議なことを言った。表と裏がある、ということかなと訊いてみると、彼女は、

「それってどっちが表かしら？　真実の方？　それとも裏こそ真実？　いいえ、そういうことではないわ。真実というのは単なる事実、現実――そしてもうひとつの真実というのは、私たちの心のこと。世界にあるのはこのふたつの真実。少なくとも人間にとってはそう。ただある

がままの真実と、心で歪められた真実の二つがある」

　歪められているのならばもうそれは真実ではないのではないか、と問うてみると、彼女は微笑んだまま、

「では心なくして人はどんな世界を見ているのかしら。科学で証明された冷たい残酷な世界こそ真実で、人の一生は儚《はかな》い偽りの幻想だ、って？」

　ふーっ、と彼女は吐息をついた。

「間違いだわ——どっちも真実ではない。世界は残酷でも無関心でも慈悲深くも効率的でも混沌《こんとん》に満ちてもいない。真実とはそんなものではない——心と、そうでないものと、その二つだけが真実であり、それを区別できなければ、人はいつまで経っても運命の奴隷に過ぎない」

　このとき——既に彼女は女王であった。

　彼女のためにすべてを捧げる覚悟のある者たちがその傘下《さんか》に集《つど》っていた。我々は皆、彼女の想いこそが真実だと考えていた。

　でもこのときの彼女は、やや苦笑気味に、

「だから私は、真実の存在とは言えない。心と現実の間をふわふわ漂っているだけだから——おそらく、もっとも真実から遠いのが私で、次が……あの死神でしょうね」

　と言った。

1.

教室はいつものように、教師の声と生徒たちのひそひそ声が混じり合い、静寂と喧噪《けんそう》の中間ぐらいの微妙な温度で空気が淀んでいる。

（……………）

不破明日那は教師の声を聞くでもなく、ノートを取るでもなく、といって放心状態というのでもなく、なんとなく頭にある人物のことを思い浮かべていた。

（末真さん……）

やっぱりあの少女のことが、どうしても気になる。

ある程度、時間が経った今になってみれば、他の生徒たちも以前の自分を知っていることはおぼろにわかってきて、ボロを出さないように注意しているが、しかしその中でも、彼女が自分から名前を想い出せたのはあの末真和子だけなのだ。

（絶対に、なにかあるはずよ……）

ずっとそう考え続けて、そして昼休みになって、もう我慢できなくなって、明日那は末真のいる教室に向かった。

お弁当を食べているところに押し掛けるのは気が引けたが、しかし止《や》むに止まれない気持ちだったのだ。

だが教室には、それらしい人影がない。

「あのう、末真さんは……」

手近の生徒に訊ねてみると、なぜか少し笑われて、

「あら不破ちゃん、また博士に相談なの？　あなたもずいぶんと末真になついちゃったわねえ」

と言われた。どうやら自分は過去に何度もこうして末真を訪ねてきているらしい。

「えと、私は——」

「末真なら、たぶん図書室に行ってると思うわ。なんか本を抱えていたから」

「わ、わかった——ありがとう」

お礼を言って、廊下を引き返す。階段を上がり、図書室にまっすぐ向かう。やはり記憶はないのに、こういう知識はそのまま残っている。迷うかもという不安はまったく湧いてこない。

最短距離で、図書室にやってきた。まだほとんどの生徒たちは昼食を取っているので、いるのは図書室を管理する役目の図書委員が二人と、そして彼等と話している末真和子だけだった。

「でもいいのかい、末真さん。寄贈しちゃって。この本、結構高かったんだろう？」

「気にしないで。私がずっと気になってただけだから。図書室の蔵書で、この全集の一巻だけ欠けているのがずっと許せなかったのよ」

「でもよく見つけたねえ。もう絶版なんだろう、この本」

「古本屋の、梯子《はしご》でなきゃ取れない位置の棚に紛れてたのよ。たまたま見つけたの。運が良かったわ」

「いやしかし、よくそんなところにあるのを見つけたよなあ――何百冊もの中から、これだけを。別にこの本を探そうとしていた訳じゃないんだろ？」

「なんとなく目に入ったから。本棚って特に意識しなくても、眺めているとなんとなく書名がわかるでしょ？」

「――いや、普通はわかんないって」

「なんか背表紙から気配が漂ってくるって感じ、あるでしょ？」

「――ないって、それ」

「スゲえなあ。さすが博士だよなあ」

「ああ――その呼び方やめてくれる？　絶対、馬鹿にしてるわよね」

「いやいや、マジで尊敬してるんだって」

「なんかいつのまにか広まってんのよね、その綽名《あだな》――最近じゃ男子にまで」

末真がはああ、と大きくため息をついているところに、後ろからおずおずと明日那は近づいていって、

「あのう――」

と声を掛ける。振り向いた末真は、

「あれ、どうしたの不破ちゃん」

と訊き返してきた。

「ちょっと、いいかしら——話したいことがあって」

「うん、いいわよ——じゃあ、その本を先生にも確認してもらってね」

末真は図書委員たちに別れを告げて、不破を促して廊下に出た。

歩きながら、末真は明日那の顔を少し覗き込んできて、

「もしかして、またああいう気分になってきちゃったのかな」

と言ってきた。明日那が返答に困っていると、末真はうなずいて、

「やっぱり、記憶がなくなったような感じがするのかな。今までの自分がどこかに行っちゃったような」

と言った。

「…………」

明日那はまじまじと末真を見つめてしまった。どうしてわかったのか——と考えて、すぐに悟る。きっと以前の自分が、自分でそう言ったのだろう。しかし、ということは——。

(私は、前にも記憶を失っていた——ってこと?)

今回の記憶喪失は、最初ではなかったのか?　何度も同じことを繰り返しているのか?

「私、は——」

彼女は青ざめて、がくがくと震えだした。末真が心配そうに、

「大丈夫？　なんか具合が悪そうだけど。保健室行く？」

「い、いやいい——それより末真さん、私は、私って——その」

彼女はほとんど末真にすがりつくような体勢になってしまう。

「その——前と変わったと思う？」

なんとか言葉を絞り出した。末真は少し驚いたような顔になったが、すぐにうなずいて、

「ええ、そう言えば変わったと思うわ——でも、優しくなったような気もするから、変わってよかった、とも思うけど」

「私、優しくなったのかな——」

「少なくとも、前はこんな風に話しかけてくれなかったわよね、不破ちゃんは。やっぱりプライドも高かったろうし——」

「私——」

「もしかして、張り合いがなくなっちゃったから、かも知れないとか思ったんだけど」

「張り合い——」

「うん。こんなこと言っていいのかな——でも、不破ちゃんって前は、学年一位の成績を、百合原さんや水乃星さんとかと争っていたでしょう？　でも、二人ともいなくなっちゃったから

——それで、誰よりもショックを受けたのが、不破ちゃんじゃなかったのかな、って」

「百合原、水乃星——」

その名前を反芻《はんすう》して、そして——明日那は自分がふいに崖っぷちに立たされているような、底無しの穴にぶら下げられているような感覚に襲われていた。

その名前は——知らない。

知らないはずなのに、その名前を聞いた途端《とたん》に拒絶反応が勝手に生じている。特に後の方の——水乃星。

「水乃星、透子——」

いつのまにか、勝手に名前を呟いている。絶対にそんな名前は記憶にはない。欠片もない。それなのに——なぜか、染みついている。

喰い込んでいる——魂《たましい》そのものに刻みつけられている傷のように。

「私は、彼女たちとは一度も話したこともないし、水乃星さんには会ったこともないんだけど——でも有名だったたから。あなたたちがライバルだったたっていう話は」

「いや——私は……」

明日那は立っていられなくなり、ますます末真にしがみつく。そんな彼女を末真はよろけそうになりながらも、壁にもたれるようにしつつ、なんとか支える。

「ごめん、変なこと言ったかも。あんまり気にしない方がいいんだけど、でもそれが一番難しいってのは、私も知ってるから……そう簡単には色々と忘れられない。人は忘れるのにも力がいるってことを」

末真の発言は、実際には記憶をなくしている明日那にとってみれば、ひどくピントの外れた発言のはずだった。何も想い出せない人間に向かって、忘れられない、というのは正反対の言葉だ。そのはずだ。

そのはずなのに――どういう訳か、そう言われて明日那には、

〝――だからこそ、攻撃になる〟

という言葉が頭の中で反響していた。どういう意味なのか、まったく不明だが……しかしその言葉を思い浮かべた途端、全身から脂汗が滲み出てくるのを感じる。これはもはや不安でも恐怖でもない。

戦慄《せんりつ》だ。

たとえるなら着ている服の端が燃えているのを見つけたときのように、気が滅入るとか嫌な気分とかいう次元を超えた、具体的な焦燥のあるパニックの感覚――それを想い出す。

そう、これは記憶にある。それがどこに繋がっているのか定かでないが――確かにそれはおぼろに覚えていることの中にある言葉だった。

「す、末真さん――私は、今……」

しがみつきながら、明日那が末真に告白しようとした、そのときだった。

「……ちょっと！　何してんのよ！」

という声が廊下に響いた。

振り向くと、そこには血相《けつそう》を変えた狭間由紀子が立っていた。

彼女はつかつかと足音を立てながら迫ってきて、明日那の身体を末真から引き剝がした。

「どういうつもりよ末真！　明日那に余計なことを言わないで！」

「い、いや由紀子、私は別に――」

末真が説明しようとするのを、由紀子はさらに強い声で遮《さえぎ》って、

「馴れ馴れしく人の名前を呼ばないで！　あんたとはもう、友だちでもなんでもないんだからね！」

「由紀子、私はあのとき、悪気があった訳じゃ――」

「うるさい！　私に話しかけるんじゃない！　明日那にも近寄らないで！」

ヒステリックに喚《わめ》いて、彼女は明日那を強引《ごういん》に引っ張っていって、その場から大急ぎで離れていく。

「あ、ああ――」

明日那はこっちを見つめてくる末真に、なにかを言わなきゃと思ったが、何を言っていいの

かわからずに、そのまま角を曲がり、彼女の姿を見失った。

2.

「どういうつもりよ、明日那——末真には関わるなって言っておいたでしょう?」

ひたすらに上から由紀子は叱《しか》りつけてくる。明日那はなんだか、ひどく憔悴《しょうすい》してしまって、

「私は、いったいなんなのかしら……」

と弱々しく呟いた。

「何を言われたか知らないけど、あんな嘘つきの言うことなんか気にしちゃ駄目よ。あいつは本当に悪い女なんだから——」

「——狭間さんと末真さん、いったい何があったのよ? よくわからないけど、絶対にそっちの誤解だと思うけど——」

「いやいやいや、やっぱり駄目だわ。もう丸め込まれてんじゃない。あいつの口車に乗っちゃってるじゃない。まずいわよそれ。実にまずいわ。私もそれで昔、ひどい目にあったんだから——」

「だから、何があったのよ?」

「あんたには関係ないことよ」

「でも——」

廊下の隅で言い争っていると、二人の前に一人の男子生徒がふらふらとやって来た。

なんだかもじもじしながら、その場から離れようとしない。

「なによ？　気持ち悪いわね。あっちに行ってよ」

由紀子がきつい口調で言うと、彼はさらにもじもじして、

「いや、教室に行ったら、D組の方に行ったって言われて、そこに行ったら図書室に行ったって言われて、それで行ったら、なんかケンカしてて、それで……」

だらだらと、大して意味のないことを喋り続ける。

「あんた、誰よ？」

「あ、B組の諸山です。諸山文彦です」

彼はぺこり、と頭を下げた。それから視線を明日那に向けて、

「それで、あのう……不破さんですよね？　不破明日那さん？」

と、何故か疑問形で訊いてくる。

「そ、そうだけど……」

今ひとつ自覚に欠けるので、返答にも自信がない。しかしそこで、この文彦の方がさらに自信がなさそうに、

「あのう……僕のこと、知ってますか？」

と奇妙なことを言いだした。

「……え？」

「いや、以前になにか交流があったかな、って……それがちょっと、気になっているっていうか、どうなっていたのかな、って……いや、変なこと訊いてるのはわかっているんですけど……いや、やっぱりわかっていないのかな？　その辺もどうにも……」

ひたすらに要領を得ない。由紀子がイライラしてきて、

「いったいあんたは、何が言いたいのよ？」

と詰め寄ると、文彦は、ひい、と小さく悲鳴をあげて後ずさったが、少しもじもじしたかと思うと、ポケットに手を入れて、そしてなにやら紙の束を出してきた。

「あのう、これ……」

と差し出してくる。明日那はおそるおそる受け取って、そして絶句する。

それは写真だった。そこに写っているのは全部、一人の人物だった。

どれを見ても一人の少女の姿があるが、しかし正面を向いているものは一枚もない。横顔だったり、後ろ姿だったり、中には上から撮っていて頭と肩しか見えないものもある。隠し撮りばかりだった。

すべて、不破明日那の写真だった。

「……なに、これ？」

横から覗き込んでいる由紀子が嫌悪感丸出しの声を出した。

「マジに気持ち悪いじゃない――どういうつもりよ？　ストーカーだって自首してきたの？」

「いや――それが、なんというか」

文彦は困惑したように明日那と由紀子の顔を交互に見て、そして、

「これって、僕が撮ったものなんでしょうか？」

と訊いてきた。少女たちが訝しげな顔になったところで、彼はさらに、

「信じてもらえるかどうかわからないんですが――身に憶《おぼ》えが全然ないんです。家に、これと同じようなものがたくさんあるんですけど――まったくあなたのことを覚えていないんです、僕は」

と困ったような顔で言う。

＊

諸山文彦の部屋には、ほんとうに山のように不破明日那の写真があった。

「間違いなく、明日那本人――骨格が同じ」

写真を分析しながら、成城がぼそりと言う。

「うえぇ、気持ち悪い――」

由紀子が文彦のことを睨みつける。彼は何を言われても、ひたすらに困ったような顔をしている。

「私——なの?」

明日那は、自分が写っている写真を、ひどく不審そうに見つめている。まったくの他人にしか感じないのだった。

彼女たちは放課後になるとすぐに、この諸山文彦の家に押し掛けていた。大きな一軒家で、相当な金持ちであろうと思われたが、両親は共に仕事をしているので、帰りはいつも遅いのだという。兄弟は兄が二人いたが、大学に入ってどちらも一人暮らしを始めたので、今はほとんどの時間は彼だけらしい。

「それで、見つからないことをいいことに、こんなストーカー行為を繰り返していたってことなの?」

由紀子の詰問《きつもん》に、彼は、

「どうなんでしょうか——そうかも知れませんが……」

と弱々しい声を出す。

写真には日付と時間がプリントされている。もう何年も明日那のことを監視し続けてきたことがわかる。同じ日付で何十枚と写真がある。特にシャッターチャンスなど狙っていることもなく、とにかく写している。

「でも……少し不自然ね？」

写真をぱららら、とめくりながら由紀子が眉をひそめる。

「こんだけ撮られているのに、明日那、あんたは何も気づいていなかったの？」

「そんなこと言われても、昔のことはもう……」

明日那は首を横に振る。ぞっとしなければならないことなのかも知れないが、全然そんな感じになれない。他人事《ひとごと》としか思えない。

何より、現在の彼女を見る文彦の眼に、まったく迫力がない。どうでもいい相手を見ているのと同じ視線でしかない。何かが失われている。記憶だけではなく、もっと決定的な、他に対する〝執念〟というものが奪われてしまったかのような――。

「なんでこんなものがあるのか……まったく想い出せないんです」

文彦は弱々しく首を左右に何度も振る。

「自分の名前とか、家族たちとか、学校の連中とかは？」

「それは憶えているんですけど……不破さんのことだけは全然」

「ちなみに、私のことは見覚えある？」

「……そう言えば、記憶にないです」

「私は、あんたとは学校で何度もすれ違っているから、顔ぐらいは覚えてたけど」

「……いや、わからないです」

「こっちの成城は？」

「……いやあ、同じです」

「ふーむ――」

由紀子は唸る。もちろん成城沙依子のことをこいつが以前から知っていた可能性はないが、しかしそれと区別がつかないということは、

「私たち三人についての記憶がない、ということになる訳か……いったいいつから記憶がないの」

「昨日からです。気がついたら家にいて、目覚めたら知らない写真がたくさんあって――」

「昨日、か――」

もしかして、と由紀子は部屋の隅に転がっているデジタルカメラを拾い上げて、データを見てみた。撮影したままで他に転送したりせず、まだプリントアウトされていないデータを。

「――やっぱり、昨日の私たちが映っているわ」

「なんですって？」

明日那が驚いて、カメラの表示画面を覗き込む。そこには街の中を歩いていく三人の姿が映っていた。

「こいつ、昨日の私たちを尾行してたんだわ――成城が感じていた追跡者っていうのは、こいつだったんだ」

「確認は、できないけど」

成城が慎重に補足する。それから文彦の方を、じっ、と見つめる。

「なんですか？」

「――――」

成城は文彦の眼球の、その奥を覗き込んでいる。瞳孔《どうこう》の収縮反応を見ている。そして結論を出す。

「この少年――嘘はついていない。そして、ただの人間――強化されたり、薬物投与された形跡はない」

「あんたの仲間じゃないってことか……でもこれだけ隠し撮りができるんなら、変な話だけど、ストーカーの才能っていうか、色々と探るのに向いているんじゃ――」

由紀子はそう呟いてから、腕を組んで、

「諸山――だったわね」

「はい」

「あんた、ブギーポップって知ってる？」

「えと、なんか女子だけの間で広まってる噂ですよね――死神、とかなんとか」

「どうして知ってるの？」

「いや――たぶん話をどっかで聞いたんだと思いますけど」

「誰から？」

「それは——えーと……」

「賭けてもいいけどさ、あんたにその話をする女子なんて絶対にいないわ。あんたはただでさえ気持ち悪いし、逆にどんなにイケメンだったとしても、ますます話したりしないわ。女の子だけの秘密なんだから……どうして知ってるの？」

「それは……」

文彦は言葉に詰まった。由紀子はうなずいて、

「あんたが聞いたとしたら、それは陰でこそこそと盗み聞きするしかないのよ。ストーキングしていたときに、誰かが話しているのを聞いた——誰が？」

「えーと……」

「この、不破明日那だったんじゃないの？」

「うーん……」

「ちょっと狭間さん、何が言いたいの？」

「こいつの追跡は、明日那——あんたが何をやっていたのか、ということの、絶好のヒントになるってことよ——あんたが調べていたはずの、ブギーポップに関する手掛かりがきっと、この中にある——」

由紀子は眼を輝かせながら、文彦の部屋に積まれた写真の山を指した。

3.

――二時間後。

少女たちに、諸山文彦を加えた四人は郊外にある施設にやってきていた。

もう陽は暮れてしまっている。そしてその施設は開放されているのが日中だけで、夜には閉鎖されてしまう上に、夜間照明などというものもない。真っ暗な闇に覆われている。

そこは墓地だった。

入っているのは高い管理料を毎年納めることができる家の墓ばかりの、高級霊園だった。

高い高い柵に覆われていて、とても侵入できないのが普通であったが、彼女たちは成城がまず跳び越して、その後でロープを垂らしたので、それを伝ってよじ登っていった。

かちっ、と用意していたハンディライトを照らして、四人は歩き出す。

「あのう、別にこんな無理して今日中に行くことはないんじゃないでしょうか……」

文彦がおそるおそる言うと、由紀子が、

「善は急げっていうでしょ――」

と素っ気なく却下する。

「…………」

明日那は無言で、先頭を進む成城の後をついて行くが、心の中では妙にざわつく感覚が湧き上がってくるのを止められない。

この場所のことは記憶にない。だが同時に、その場所に漂う空気の感触が、妙に馴染み深いものとして感じられる。

(知っているのに、知らない――)

そんな矛盾《むじゅん》したふたつの感覚の間で、明日那の精神は引き裂かれそうな不安定さに揺れていた。

なぜ、彼女たちがこの墓地に来ているのか――それはここを訪れている明日那の姿が、文彦の写真に残されていたからである。それも一度や二度ではない。何度も何度も、彼女はここに来ている。

目的地は常にひとつだった。特定の墓ばかりを訪れている。しかしその墓を見つめる彼女の横顔はいつも緊張しており、とても親しかった者の墓参りをしているようには見えないのだった。墓前に供えるものを持ってきたこともないし、掃除などをしていた様子もない。

しかも――日付から見て、明日那がここを最後に訪れたのは、彼女が現在の状態になる前日――つまり記憶がなくなる寸前のことなのだった。

(何かあるのは確かなんだろうけど……なんだろう、嫌な感じがする。予感というのではなく、私はもう……そこにあるものが決して好ましくないものであることを、既に知っているみたいな……）

彼女の気持ちは沈んでいるが、しかし足取りそのものは何故かしっかりとしている。地面を踏ん張って、一歩一歩、足場を確かめていくように、絶対によろめいたり転んだりしないための確認を怠らない上に、速度も落とさないという歩き方をしていた。

それは獲物に忍び寄る野生の獣のような歩みだった。

「――――」

そして先頭を進む成城沙依子は、この事態が示すことはいったい何なのか、ずっと考えていた。

もしも、不破明日那が統和機構の者であったとしたら、諸山文彦のような一般人の監視に気づかないはずはない。一度や二度こっそりと、というようなものではないのだ。この前の追跡は成城でさえ気づいたレベルのものであり、決して超絶的なテクニックを持っていたのではないのだ。

（ということは――）

答えはひとつしかない。わざとだ。かつての不破明日那は、自分を盗撮している者がいることを知っていて、あえてそれを放置していたのだ。

だが、いったい何のためにそんなことを？

（まさか――現在のような状態になるように、前もって準備していたのだろうか。記憶がなく

なっても、この場所に来られるように――その道しるべとして）

成城は、今こそ助言が欲しい、と思った……だがどういう訳か、妄想ユージンは彼女の心の中に現れてくれない。いつものようにイメージを浮かべようとするのだが、なにかが邪魔をするように、あの優しくて聡明な少年の姿を見出すことができない。

（どうして――）

真っ暗な墓地の中を、それぞれの思惑を伴いながら、彼女たちは進んでいく。

目的の場所は、山の斜面に沿って造成されているこの霊園の、かなり高い位置にあった。おそらく価格的にもかなり上のランク、ということになるのだろう。

何枚もあった写真――その中に、背景に特徴的なものが写っているものがあった。四角錐《すい》の細長いピラミッドのような大きな墓石が近くに立っているのだ。そっちを探せば、必然的に明日那が行っていた墓に辿り着ける――すぐに見つかった。

「あの辺りか――目印が派手だから、なんか周りはみんな地味に見えるわね。どう？　なんか想い出す？」

由紀子が明日那に訊いたが、彼女は首を横に振る。

成城はライトを手元の写真に照らして、改めて確認する。

「角度から見て、あの植え込みの物陰から撮影していて――細長ピラミッドの右隣、三つめの墓石が目的地らしい――」

「よし、行ってみよう」

四人はざくざく、と通路に敷かれている玉砂利《たまじゃり》を踏んで進んでいった。

目的地に着いても、明日那の心にはなんの印象も湧いてこない。ただ、墓石が立っているだけだ。

「…………」

明日那が無言でいる中、由紀子がライトで墓石を照らし出す。

そこで彼女の眉がひそめられる。

「……なんで？」

思わず疑念を口にする。

墓石に刻まれている墓碑銘《ぼひめい》は〝水乃星〟というものだった。

「これって――水乃星透子の墓なの？　あんた――彼女のなんだったの？」

「…………」

しかし明日那は何も言わない。

「どうなってんのよ。あんた、水乃星透子と何か関係があったの？」

由紀子はさらに問うが、答えはない。横から成城が、

「ミナホシスイコ、って――誰？」

と訊いてきた。由紀子は忌々しそうに、

「去年、うちの学校で飛び降り自殺した女よ——原因は不明。遺書もなし。とにかく訳もわからないまんま、死んじゃったのよ。あんた知らないの？　この辺の調査とやらをしてたんでしょう？　話くらい聞いたことないの？」

「知らない——何も思い当たらない」

成城は首を左右に振る。ああもう、と由紀子は苛立ちつつ、明日那に迫って、彼女の肩を掴んで揺さぶる。

「まさかと思うけど——あんたが水乃星を殺した、とかいう話じゃないでしょうね？」

「————」

「黙ってないで、なんとか言ったらどうなのよ？　そんなはずはないとか、身に覚えがない、とか——いや、なんにも覚えていないんだろうけど——それでも、なんか」

由紀子がさらに問い詰めようとしたところで、墓地に奇怪な音が響いた。

軋んで、歪んだ高音の隙間風のような音色——口笛の響き。

「————?!」

由紀子たちはいっせいにその音の方を振り返った。さっきの細長ピラミッドの方から聞こえてきたらしかった。

ライトを向けると、黒ずんだ影が、すっ、と視界の隅を横切った。

「ま、待て！」

由紀子が追いかけようとする横から、成城が飛び出していく。

彼女が飛びかかったときには、もうその影はその場所から消えていて、成城の着地する空振りの音だけが虚しく響く。

続いて、声が聞こえてきた。

〝まったく――だらしのない奴だ〟

ぼそぼそと低く、がさがさと掠れた声だった。

〝おまえほどの奴でも、その有様か――つくづく救いのない話だな〟

いったいどこから聞こえてくるのか、さっきの口笛と違って、その声は四方八方の至るところから聞こえてくるようだった。

「だ、誰？」

由紀子が声を上げる。それに対しての返事はなく、さらに声は独白のように、

〝喰らわしてやらねばならん、しかるべき報いを――そんな忘却におまえを追いやった、この

世界の摂理に〟

と続けた。なんのことだ、と由紀子は思いつつ、ちら、と明日那の方を見る。しかし記憶喪失の少女は、この声を聞いても特になんの動揺も表には出ておらず、

「…………」

と人形のような無表情のままだ。

成城がライトを素早く動かして、辺り中を照らして回る。

その光の移動の途中で、なにか黒いものがちらりと見えた。

明日那もライトをそこに向ける。闇の中、遠くにぼうっと浮かび上がる——黒い帽子を被って、マントを身にまとった影が。

帽子の下に、白粉《おしろい》を塗りたくったような蒼白の顔がある——まるで老婆のようにしわくちゃで、子供のように小さな顔が。

「ぶ——？」

ブギーポップ、と言いかけた由紀子の横から、ふいに囁き声がした。

「いいえ——あれは死神じゃないわ。悲しい道化——」

幼い声だった。由紀子が眼だけを横に向けると、そこにいたのはこの前、あの交差点で見かけたあの白い少女だった。

少女は真っ暗な闇の中で、なぜかはっきりと見える。うっすらと発光しているように――あるいは由紀子の眼の中にいるかのように。

(え……?)

「あれを止められるのはあなただけ――狭間由紀子、あなたがすべての鍵を握っている……だから、ひるむ必要はないわ」

白い少女はそう言うと、由紀子が瞬きして、そして再び瞼を開いたその一瞬の間に、消えている。

(え……)

由紀子は身を強張らせていて動いていないが、他の者たちも動いていない。一切、反応していない。あの白い少女が囁きかけてくるのは自分だけ――それが再確認された。

(これは――)

彼女が照らしていたライトの光の中から、こちらをじっと睨んでいた帽子の下の奇怪な顔が、すっ、と遠ざかっていって、すぐに見えなくなる。

成城がまた追いかけていったが、しかし聞こえてくるのは彼女の足音ばかりで、他にはもう、なんの気配も周囲にはない。

「――なんですか、ありゃあ」

諸山文彦が、茫然自失、という顔でぼんやりと呟いた。

「もしかして幽霊、とかなんですかね……なんか、あまりにも突然すぎて、怖がる暇もなかったっつーか――」

あはは、と弱々しく痙攣するように笑う声が引きつっている。

「見覚えはないの？」

「あるわけないでしょ――いや、まあ、少なくとも記憶にはないです。あなたたちは知ってるんですか？」

文彦の言葉に、由紀子は明日那の方を見る。しかし彼女は相変わらず、

「………………」

と無反応である。ニュートラルな状態だった。

それは今、目の前で起こってしまったことに反応できないというよりも――これから起きることに対して備えているかのようだった。

（どうして、私は――こんなに……）

明日那は自分でも、この感覚が理解できない。しかし彼女は現在、間違いなく――。

（こんなにも、この場所にうんざりしている――飽き飽きしている、のか……？）

もういい加減にしたい――そんな感じがしてしょうがないのだった。

*

（どういうこと――今の、あの帽子の下にあった顔は、あれは――）

成城沙依子は、謎の影を追いかけながら、さっき自分が見たと感じた姿の残像を頭の中で何度も思い浮かべて、反芻していた。本当にそうだったのか――ひょっとしたら違うのではないか、勘違《かんちが》いなのではないか――そう信じたかった。

だが――眼に焼き付いた青ざめた顔は、その彼女の願いを裏切るかのように、そうとしか思えない。

皺だらけになり、異様に老け込んでしまっているようだったが――あの顔は、あの小さな子供のような顔は……。

（あれは――ユージン？）

彼女の心の唯一の慰めである、あの少年の戦闘用合成人間の顔としか思えなかったのだった。そんな馬鹿な。あり得ない話ではないか。どうしてユージンがあんな姿になってしまって、そしてブギーポップの扮装をしているのだろうか？

（ブギーポップというのはユージンだったのか――いやそんな、馬鹿な……）

眼の錯覚か、あるいは無意識の作用で彼の姿に見えただけだ。そうだ、そうに違いない――

自分にそう言い聞かせる。だがそう思うほどに、ミイラのように枯れてしまったユージンの顔のイメージが何度も何度も脳裏に蘇るのだった。

（——ん？）

謎の影が去っていったと思われる方角に、奇妙なものが残されていた。墓石のひとつに、紫の塗料で殴り書きされていた。

〝バビロンにて待つ〟

そのメッセージが何を意味するものか不明であるが、彼女たちを呼んでいるのは間違いなさそうだった。

blank／5——忘却／反転

……あらゆる噂には広まるべき理由がある。
大抵の場合、なにかが欠落している。
世の中に欠けている要素を埋めようとして人は噂を広める。
この“死神”が埋めていた穴は何か、
分析するには既に失われたものが多く——

——早見壬敦〈仮称ブギーポップ〉

……どんなに忘れまいと努めても、彼女のことをどんどん忘れていくことを停めることができない。それは抗いきれない運命なのだろうか。

「どうしようもないことに人はどうやって立ち向かえばいいのかしらね？」

彼女はかつて、私にそう言っていた。

「もちろん立ち向かわない――というのもひとつの選択であり、それが一番賢明なのかも知れないけれど、でも無理ね。人に限らない、あらゆる生き物はどうしようもないことと戦うために生きているのだから」

戦うとは、どういう意味かと訊くと、彼女は私の目をじっと見つめてきて、

「ほんとうに、それを知りたいのかしら？」

と訊き返してきた。そう言われて、私は少し黙り込んだが、やがて、いや――その必要はないな、とうなずいた。

「そう、私たちはみんな、ほんとうはとっくに知っている――私たちは皆、果てしない戦いに駆り出されている。ただ勝ち目がないことも知っているので、それに気づいていないふりをしているだけ――」

彼女はまっすぐに私を見つめながら言う。その視線を受け止めることができることを、私は幸福だと思った。

そう、彼女のために戦い続ける——そのためならば、たとえ抗いようのない運命であっても、それをくぐり抜ける方法を見つけだす——たとえ、すべてを忘れ去ってしまったとしても。

1.

「いや、今日は狭間さんは来てないけど」

「え？」

訪ねていったクラスでそう言われて、末真和子は眼を丸くした。

「それって病気とか？」

「さあ。でもあの娘、時々無断欠席しているから、今回もそうじゃない？」

「ふーん……」

「どーなんだろうね、末真。ああいう娘ってやっぱり、内緒の彼氏とかいるパターンなの？」

「え？」

「みんなともあんまり溶け込まないでさ。一人でぼーっとしてることが多いってのは、別のことで忙しいんじゃないか、って思うんだけど。末真はどう見る？」

「いや、別に私は、そういうことは詳しくないから」

「またまたあ、博士がわかんなかったら誰がわかんのよ？」

「……じゃあ、ちょっと急ぐから」

話しかけてくる友人を振り切って、末真は廊下を早足で進んでいく。

（なにかおかしいわ——不破ちゃんも今日は来ていないって言われたし……あの二人、何かしてるんじゃないかしら……結構危ないことを——）

昨日、あんな風に別れて以来、末真はずっとあの二人のことが気に掛かっていた。それでなんとか話がしたかったのだが——。

（不破ちゃんは、また不安定な感じになってたし。前にもああいう感じのときがあって、やっぱり学校には来ていなかったし……ああもう、私はどうして、あのときにもっと不破ちゃんに話を聞いておかなかったのかしら？）

自分に腹を立てながら廊下をずんずんと進んでいると、ふいに横から袖を引っ張られた。

「わっ」

とよろめくと、肩を支えられる。振り向くとそこには親友の宮下藤花《みやしたとうか》がニコニコ笑っていた。

「どしたの、末真。なんか怖い顔してるけど？」

藤花はいつも屈託のない顔をしている。彼女のそういう顔を見ると、どんなときでも無条件に少し心が和む。

「いや――藤花、あんたは不破ちゃんのこと、なにか知らない？」

「不破明日那さん？　いや、彼女と話したのって、あんたと一緒の時くらいだし。なに、どうかしたの」

「彼女、なんかおかしくなかった？　変なのよ。きっと困っているわ」

末真がそう言うと、藤花はくすくすと笑い出した。

「なによ？」

「末真っていっつもそうよね。本人よりもその人のことがわかってるんだわ」

「馬鹿言わないでよ。それ言ったら、まずあんたのこと全然わかってないわよ、私は」

「それはそれで傷つくんだけど」

「不破ちゃんと仲のいい人って思い当たらないかな、藤花。あと――狭間さんも」

「あれ、あの娘とちょっとモメてなかったっけ、あんた」

「そうなんだけどね――ああもう」

末真が再び歩き出し、藤花はその後をついてくる。

「でも末真、今あんたが何考えているか、それはわかるわよ」

「あんたはいいわよ――来なくても」

「あはは、やっぱりわかってんじゃん。私が付き合うって」

「ああもう――きっとなんでもないわよ。無駄足だと思うわ」

「じゃあ、行かなくてもいいんじゃない？」

「ホントあー言えばこーゆーって、あんたのことよね」

二人の少女は言い合いをしながら、下駄箱に行き、靴を履いて、学校から出ていく。放課後になりたてなので、まだ他の下校する生徒たちも多い。校門にいる風紀委員長の新刻敬《にいときけい》が、末真に気づいて、

「あれ末真、今日は早いのね」

と声を掛けてきた。いつもは大抵、末真は図書室でしばらく時間を潰すのが常だからである。

「うん、ちょっと野暮用で――」

末真が言葉を濁すと、敬は少し眉をひそめて、

「何かあったの？」

「いや、そういう訳じゃないんだけど――」

と末真が言い淀んでいると、敬は後ろに立っている藤花に気づいた。

「宮下さん……？」

敬の顔が少し強張った。そこで藤花はわずかに首を縦に振って、

「そういうこと――特に問題はないよ、新刻さん」

と静かな口調で言った。その表情が微妙に、左右で非対称になっている。

「――」

敬は一瞬だけ、息を詰めて、それから、ふーっと吐き出した。

「わかったわ。でも気をつけてね、末真。あなたって結構、お人好しだから」

「あはは、敬ほどじゃないわよ」

末真と藤花は校門を出ると、二人がいつも進んでいくはずの下校路からは逸れて、別のルートを進んでいく。その道筋は三日前に、記憶喪失の少女が、自分は何故この道を知っているのかと不思議がっていた、そのコースをそのまま辿っていた。

やがて彼女たちは一軒家に到着した。その表札には『不破』と書かれている。

ドアホンを鳴らすが、反応はない。何回か試してみたが、やはり応答はない。家を見上げると、照明の類はまったく点《つ》いていないようだった。

「留守かしら――誰もいないの？」

末真はおそるおそる門扉《もんぴ》を開けて、中に入ってみる。

「すみませーん、あのー」

と遠慮がちに声を出しても、やはり静寂が続くのみだ。

「どうしよう……」

末真が不破家の庭をふらふらしていると、足が何かを踏んだ。かさり、という音がした。紙だった。拾い上げてみると、それは一枚のチラシだった。

『バビロン通り――コスプレ解禁！』

『ゴールドフェア開催に伴い、ストリートをパフォーマーたちに解放！』

『着替え場所完備。参加費無料。どなたでもお気軽に！』


色々なコピーが縦に横に、乱雑に並んでいる。どうやら商店街の広告らしい。

「これは――」

そのチラシに、なにやら丸がしてある。地図の上にあちこち印がついている。どうも路地裏というか、物陰みたいなところをチェックしているようだ。

(表面に、インクの染みがついてる……つまり紙を重ねて、その上からさらに何かを書いた後……これは少し書いたけど、すぐに失敗だと思って、次の紙を用意したんだわ――同じチラシを何枚も持っていたことになるけど――なんでそんなに、このイベントに執着しているのかしら？)

末真がぶつぶつ言いながら考え込んでいると、藤花が横にやって来て、

「このイベントって、今日までよね……」

と日付を確認した。末真もうなずいて、

「なんだかよくわかんないけど、行ってみるか――不破ちゃんたちは、ここに行っているような気がする」

「これって駅前の商店街よね。ツイン・シティの裏手だわ。あんまり賑わってないところだと思ったけど……」

「二年くらい前に古本屋が潰れてから、私は一回も行ってなかったわ……今どうなってるんだろう」

末真は少しだけ、背筋に寒気を感じた。自分が捨てたものが、望んでいないのに再び戻ってきたような、そういう薄気味悪さがあった。

しかしすぐに首を振って、彼女は不破家からその寂れたショッピングモールに向かって歩き出した。

その後を続いていく宮下藤花の肩には、スポルディングのバッグが揺れている……。

2.

「こういうのも不幸中の幸い、っていうのかしら？　木を隠すなら森の中、って――これだけ変な人だらけだと、私たち、全然目立ってないわね……」

不破明日那が嘆息しながら言った。

「しかしこいつら、何が楽しいのかしら……変な格好して練り歩いて、それで何か成し遂げた気分でいるのかしら？」

狭間由紀子が忌々しげに言う。

「いや、私たちそれ言えた立場じゃないから……」

明日那があわててその言葉を遮る。誰かに聞かれたら喧嘩《けんか》を売ってるのかと思われるだろう。

すると横から成城沙依子が、

「少なくとも、彼らは服装をまとうことで目的は果たしている——私たちは、まだ何も見つけていない」

と、やや強い語気で呟いた。少しだけ苛立っているようにも聞こえたので、明日那は思わず彼女の顔を覗き込んだ。

だが横顔は相変わらずの無表情で、特に変化はなかった。

彼女たちは今日は、ずっとここ〈バビロン通り〉という名前の商店街に来ている。昨晩の墓地での手掛かりを元に、何かあるならばここではないかと考えてのことだった。

この商店街は、数年前からすっかり閑古鳥《かんこどり》が鳴いている。色々な原因があるが、最大のものはすぐ近くに造られた巨大な複合施設〈ツイン・シティ〉が駅前の人の流れをすっかり変えてしまったことに起因している。各種の目新しいテナントが多数ひしめいている〈シティ〉に客のほとんどを取られてしまったのだ。

そこで商店街の人々が考えた方法のひとつが、通りをコスチューム・プレイの愛好者たちの自由地帯として提供しようというものだった。大抵のコスプレ可の場所は長物《ながもの》やボール類の持ち込み禁止とか露出の多いものは駄目といった各種の規制が色々とうるさく、完全に自由な格好というのはできないことが多いが、ここはその中でもかなりきわどいところまで認められているので、その筋のマニアの間では割と知られている。もちろん認められているというのは単にここが人通りが少なく、警察などから目を付けられるほどの規模ではないという寂しい理由があるが、幸いなことに過去にトラブルが生じたことはない。参加者の大半がコスプレをする側で、撮影するだけの者が少ないというのもあるだろうが、逆に言えば人が集まってはいるが、野次馬《やじうま》が少なく、商店街の目的からはかなり外れてしまっているとも言えた。

色々な商業作品のキャラクターも当然いるが、自分のオリジナル衣装で来ている者がかなりいる。それは悪魔風だったり天使風だったり戦士風だったり忍者風だったり騎士風だったりお姫様風だったりするが、そのものではなく、各人それぞれの自由なアレンジが加わっていて、思い思いに自己主張をしている。それを披露する場としてこのイベントは機能しているのだろうが、逆にそういうマニア的な姿勢が目立つから、見物だけの撮影者が少ないのだろう。色々と嚙み合っていない中で、世の大勢からズレている、ちょっとした異次元《いじげん》空間になっている。

だから当然、明日那たちのブギーポップの扮装も、その中に埋没してしまって、まったく違和感がない。このまま外を出歩けば指差されて嘲笑《ちょうしょう》されること間違い無しの姿も、ここではありきたりな普段着《ふだんぎ》同然である。

「あのう――」

彼女たちの後ろからついてきていた諸山文彦がおそるおそる声を掛けてくる。

「僕、もう帰ってもいいですかね？」

彼はお手軽に、顔にドーランを厚く塗りたくったゾンビ風のメイクをさせられているだけの簡単な仮装だ。

「何言ってんのよ。こんなところに私たちを連れてきた責任があんたにはあるでしょうが。それにあんたのお気に入りの明日那がいるのよ？　一緒にデートできて喜びなさいよ」

由紀子の言葉に、文彦はため息をついて、

「デート、ですかねこれ——というか、不破さんがお気に入りかどうかも、なんともハッキリしないし……なんかどちらかというと、狭間さんの方がいいような気もします」

と彼女のことを見つめてきた。

「気持ち悪いこと言ってんじゃないわよ。とにかくあんたも関係者なのは間違いないんだから、なくした記憶を取り戻すために協力しなさいよ」

由紀子は忌々しそうに周囲を見回す。しかし目に入ってくるのは、楽しそうに着飾った人々の姿ばかりだ。奇怪な姿をしていても、その気持ちは明るく晴れやかなものばかりで、由紀子が求めるような後ろめたい暗さを伴った歪《いびつ》な情熱はどこにもない。みんなコスプレを素直にエンジョイしているのだ。彼らを見ていると、由紀子はどうにもイライラしてきてたまらない気持ちになってくる。

「でも、お腹空《す》きませんか？　もういい加減にメシにしましょうよ。なんなら僕がおごりますから。そこの店に行きましょうよ」

と文彦が通りにある中華料理店を指差した。

「そうね……そろそろ一休みしてもいいんじゃないかしら」

明日那も賛同する。由紀子は顔をしかめて、

「あんたらってホントに必死さが足りないわ——でも、仕方ないわね」

と嘆息しつつ同意した。

「ほら、沙依子も来なさいよ——何してんの？」

由紀子は成城に声を掛けたが、彼女は通りの真ん中に立っていて、どこかぼーっと定まらない視線を漂わせている。

「私は——いい。お腹は空いていない……」

やはり茫洋とした声で言う。由紀子は肩をすくめて、

「じゃあ、しばらく見回りでもしといて。なにか怪しいものを見つけたら報告して。いいわね？」

リーダー気取りで命令する由紀子に、成城は返事をせずに、ふらふらと歩き出す。

やれやれ、と肩をすくめた由紀子は、先に店に入って行った明日那たちの後を追って、自動ではないドアを押して開けた。

店内はそれほど広くないが、客は他に誰もいなかった。一応イベントに合わせてなのか、な

ぜか天井から万国旗が垂れ下がったりしている。

全体的に掃除はされているのだが、しかしやはり寂れかけた商店街の中にある店であり、どこか全体にくすんでいるような印象がある。

「まあ無難にラーメンライスにしときますか」

メニューを見ながら文彦が店員に言う。明日那は少し迷いつつも、

「五目チャーハン、かな——」

と注文する。由紀子はメニューを見もせずに、

「マーボー丼」

と言うと、イベントに対応しているからなのか、目の周りにハートマークを描き込んでいる女性店員が、ウチにはありません、と断ってきた。

「ええ？　ないの？　信じらんない——じゃあマーボーラーメンでいいわ」

「それもないです」

「なんにもない店ね！　ちっ——」

と舌打ちして、やっとメニューを見る。

「じゃあこの鶏肉ピリ辛《から》味噌《みそ》炒《いた》め定食でいいわ」

店員はオーダーを取ると、復唱もせずに引っ込んでいった。

「感じ悪いわね、まったく」

「いや、私たちの方がよっぽど印象悪いと思うけど……」

「でもあれくらいキッパリ言った方がいいと思いますよ」

文彦が妙に追従《ついしょう》めいたことを言う。

「狭間さんってそういう人だったんですね。学校ではなんか地味だったから、全然気づかなかったです」

「さっきから何よ、あんた。あんたが好きなのはこっちの明日那でしょうが。だいたい記憶がなくなってるのに、なんで学校での印象が出てくるのよ？」

「僕が忘れてるのは自分が何をしてたかってことと不破さんのことだけですから。後はだいたい覚えていますから」

「無茶苦茶言ってるわ。自分がしてたこと覚えてないのに、何を覚えているっていうのよ、まったく――」

「僕ってどうもキツめの女の子が好きみたいです。そういう感覚があります」

「うわマジで気色《きしょく》悪いんだけど――記憶がなくてもスケベ心だけはあるってこと？」

「…………」

明日那は二人が話しているのを、ひどく遠いところで聞いている気がした。

彼女は、諸山文彦をなんとも思わず、彼の方もそう思っているらしい。好感はもちろん、嫌悪も恐怖もない。彼のことは文字通りの他人事……そういう印象しかない。

（記憶——私たちから失われたという、記憶って……）

ここ数日、彼女たちは色々と試してきた。だがそれで記憶らしきものが蘇る気配さえない。無意識で暴れ出したことも、自分にはなんの手応えもないことだ。

（そう……手応えがない。私も、この諸山文彦も、記憶を失ったということに対してあまりにも〝こたえていない〟——ショックを受けていない。私の不安も、他人に知られたらどう思われるかということばかりで、自分が何者かという恐怖が少ない。私たちにはこう、なんというか——喪失感がない。失ったものへの執着心が薄い……どうしてだろう？）

あまりにもわからないことが多すぎるためか、明日那の思考は変な方向へと展開していった。

（私も、諸山も、同じような被害者なのか……まるで共感が湧かない。向こうもそうらしい。私たちに欠落しているものは、ほんとうに記憶なのか？　もしかして、とんでもない見当違いをしているのではないか……）

彼女が心の中でぶつぶつ呟いていると、ハートマークの女性店員が水を持ってきた。

やや乱暴に、テーブルに置く。

がつん、という衝突音が店内に響いた。いくら不機嫌だとはいえ、少し大きすぎる音だった。

「ちょっと——」

と由紀子が抗議しかけたときには、もう店員は聞く態勢にはなっていなかった。

グラスを置いた手が、それを離さないまま、テーブルの上を横に滑っていく。

首が、肩が、腰が、腿《もも》が、足首が――身体が傾いていく。

直立不動で硬直しながら、彼女は倒れていく。

テーブルを吹っ飛ばし、諸山文彦の上に転倒して、彼を押し潰した。文彦は座っている椅子《いす》ごと床に激突する。

「な――」

明日那と由紀子は反射的に立ち上がって、身を引いていた。女性店員は立ち直らず、そのまま倒れ込んでいる。マネキン人形のように硬直したまま、動かない。

何かが臭った。

空気に、不自然な臭いが混じっていた。

苦《にが》いような、突き刺してくるような、びりびりとしていて、かつざらついているような臭い。金属臭であり、同時に腐敗臭でもある――錆の臭い。

どこからともなく、何かが錆びている臭いが漂ってくる。

（これ――は……）

明日那は文彦の方に行って、彼を助け起こそうとしかけて……その足が停まる。

何かが彼女を停めた。彼に触れてはいけない、という命令がどこかから下る。

警戒警報――それが心の中で鳴っている。

彼女がその起源を検討する間もなく、店員の下で文彦がもぞもぞと動いた。

顔を上げて、彼女たちの方を見る。明日那と由紀子を見る。訝しげな顔になる。

そして言う。

「──誰だ？」

妙に明瞭な声で、疑問を口にした。続いて、

「ここは──どこだ？」

とも言った。それからどうにも腑《ふ》に落ちない、と首を傾げつつ、

「そもそも、俺は──」

と言いかけて、そこで彼の動きは停まった。

上にのし掛かられている女性店員の身体と同じように硬直して、微動だにしなくなる。

感染した──そういう印象があった。

「………………！」

がたたっ、と背後の椅子を蹴り飛ばしつつ、由紀子がさらに後退した。明日那は、その彼女の顔に、それまでまったく見られなかったものが浮かんでいるのを目撃した。

狭間由紀子は、ここにいたって初めて……恐怖していた。

3.

「ううっ……」

由紀子は、自分の喉から漏れている声が自分の声でないような気がした。

脚ががくがくと震えているのもよくわからない。そもそも全身が震えているので、他と区別がつかない。

このとき——彼女の頭の中に、かつて聞いた声が反響していた。

〝ねえ狭間さん——人間は自分が何を求めているのか、それを事前に知ることは決してできないんだよ。運命というのは目の前に現れてからでないと、それが運命であると悟れないんだ。そして現れてしまったら——もう二度と元に戻ることはできないのさ〟

ふいに想い出した、早乙女正美の言葉。

どうして彼が自分にそんなことを言ったのか、未だにわからない。何が言いたかったのか、姿を消してしまった少年は決して彼女にそれを教えてくれない。

だが——ふいに理解した。いったい彼がどういうつもりだったのかは、もはや確かめようがないが——しかし、彼女にとっては、あのとき正美に話しかけられたことは、あれは——

(出会ってしまっていた——私は)

彼女はずっと、自分はふさわしい運命を探しているとばかり思っていた。だがそれは間違いだった。彼女には、とっくにそれは訪れていたのだ。

早乙女正美が、不可解な微笑みと共に彼女に話しかけてきた、あのときに——もう彼女の選択は終わっていたのだ。

(私は——正美のヤツが、あいつのことが……)

ぶるぶるぶる、と全身が震えている。それを自覚できないくらいに、心の中に押し寄せてきた認識に対応しきれない。

今、目の前で記憶を失った男を見て——彼女は突然に理解した。

このまま進んでいくと、もしかしたら自分は——早乙女正美のことを忘れてしまうかも知れない。その記憶を失ってしまうかも知れない。

そう悟った瞬間《しゅんかん》、彼女にはそれまで綺麗さっぱり忘れていたはずの、危険に近寄ることへの恐怖が蘇ってきたのだった。

自分の生命さえ、どうでもいいような気がしているというのに——彼女は、自分の中から早乙女正美が消えてしまうかもという可能性には、まったく耐えることができないのだった。

「ううう——」

彼女の目の前で、記憶を失って、動けなくなっている人間がいる。それはまるで、動くということさえ忘れてしまったような、そういう硬直だった。

「ど、どういう――」

と彼女が呻いたとき、店内の奥の方から、がしゃしゃん、とけたたましい音が響いてきて、ごつん、という鈍い音が続いた。何が起こったのか、考えてみるまでもなかった。厨房《ちゅうぼう》で働いていた人間が倒れたのだ。そして――起き上がる音はまったく聞こえてこない。

「…………っ⁇」

由紀子は思わず、横の明日那を見た。彼女もうなずいてきて、

「よくわからないけど――触ったらまずい、みたい」

「ど、どうすればいいと思う？」

「私たちでは判断できない――成城さんと合流しないと」

「あ、あんたも――こんな風にされたの？」

「いや――それがおかしい」

明日那は顔を引きつらせながら言う。

「私は、ここまでやられてない。規模が大きい気がする――何か変化があったとして、それはなんなのか……」

ぶつぶつと呟いている、その言葉遣いに少し違和感があった。

（こ、こいつ……）

由紀子が急に怖くなってきたの同じように——逆に不破明日那は、冷静さが増しているような……彼女が成城の言うように統和機構の戦士なのだとしたら、そう……

（元に、戻ってきてる……？）

この錆の臭いに晒されてから——なのだろうか？

「じゃ、じゃあとにかく、いったん外に出て——」

と由紀子が居ても立ってもいられなくなって、店の外に飛び出そうと駆け出した。

「待って！　焦ったら——」

と明日那が追いかけていこうとして、すぐに停まる。

由紀子は、ドアを開けたところで固まってしまっていた。硬直してしまったのか、と明日那が思った瞬間、彼女はゆっくりと振り向いてきて、

「——なんなの、これ……」

と掠れ声を出した。明日那は彼女の肩越しにドアの外を見て、

「…………！」

と同じように絶句して、固まってしまう。

外には——通りには、もうさっきまでの雑踏はなかった。思い思いの衣装を着込んで楽しんでいる人々の姿はなかった。

代わりにあるのは、地面に転がった無数の姿――マネキン人形の倉庫が地震にあって在庫が全部転倒してしまった後のような、異様な光景だった。

人々が全員、路上に倒れ込んでいる。

ぴくりとも動かない――動くことを忘れ去ってしまったかのように。

そして、どこからともなく漂ってくる錆臭い空気。

「い、いったい――」

明日那は立ちすくんでいる由紀子を押しのけるようにして、通りに出てきた。倒れている人に触れるのが危険かも知れないので、おそるおそる慎重に進む。

すると――通りの向かい側の路地から、ふらり、と現れる姿があった。

成城沙依子だった。

彼女はふつうに動いていて、明日那たちの方に顔を向ける。

「な、成城――！」

由紀子がそっちに駆け出そうとすると、その手を後ろから明日那が掴んで止めた。

「いや――様子がおかしい」

明日那は成城を睨みつけている。

「…………」

成城は、相変わらずの少しぼんやりとした眼差しで彼女たちの方を見ている……。

＊

……数分前。

不破明日那たちと離れた成城は、ふいに奇妙な感覚を察した。

錆の臭いだった。

他の空気とは異質な、酸化した金属の発する異臭がある。地面から放たれている。

「…………」

成城はその臭いの跡をたどっていく。通りの中心から少し外れて、路地に入る。

シャッターが降りている、潰れた空き店舗から臭いは続いているようだった。彼女は裏に回り、ドアに手を掛けた。鍵は掛かっていなかった。中は真っ暗だった。

「…………」

成城は一瞬、待つ——もしかすると、その間に妄想ユージンが現れてくれるかも知れないと思って。

しかし、彼の姿はまったく出てきてくれなかった。彼女は少し息を吐くと、奥の方に進んでいく。

シャッターの隙間から射し込んでくる外の光が、かすかに室内を照らし出している——錆の臭いが強く漂ってくる。もう鼻孔でも感知できるレベルの濃さだ。

薄明かりの中で、積み上がっているものが見える。

犬の死体の山だった。

それらが、びっしりと錆に覆われている――その錆が死体を外気から遮断していて、腐敗が進まないようにしているようだった。錆のコーティングである。

「――――」

ここが、街を徘徊していたあのゾンビ犬の出発点なのは間違いなさそうだった。では、あの駅前ジャンクションで途切れていた死臭跡の謎は――

「あれは〝餌〟だ。辿ってきたヤツが、あの場所に来させるのが目的だ。しかし予想よりも来るのがずいぶん遅かったな――フットプリンツ」

声が聞こえてきた。横からだった。空間の隅、光がまったく届いていない場所から、その掠れた声は響いてきた。

知っている声だった。

記憶にはないのに、知っている――だがひとつだけはっきりしていることは……。

「おまえほどの者まで、すべて忘れてしまったのだな――まったく覚えていないのか。我等が主のことを――水乃星透子のことを」

影が、暗がりからゆっくりと歩み出てくる。フード付きのレインコートに身を包んだ、その

下の顔はミイラのように皺まみれで、そしてユージンにとても似ていて――しかし、

「ユージンではない……おまえは――」

彼女の言葉に、影はうなずいて、

「そうだ。私はユージンと同素材を使って量産された合成人間の一人だが、今では統和機構の束縛から解放されて、自由になった者だ――おまえと同様に」

と応えた。息を呑む成城に向かって、この干涸らびた男は、

「一年待って戻ってきた仲間はおまえだけだ、フットプリンツ――私はずっと、おまえを探していたのだ」

と言った。

4.

かつて――水乃星透子という少女がいた。今はいない。

彼女は通っていた県立高校の屋上から飛び降りて死んだ――ということになっている。しかし彼女が何故そのような事態に至ったのか、それは謎のままになっている。

彼女の死後には、ひとつとても奇妙なことがあった。生前に彼女と仲が良かったはずの生徒たちが、そろって彼女のことを〝ろくに知らない〟と言い出したのである。可哀想に、という

反応をしたのは彼女とほとんど接点のない生徒たちばかりで、真剣に哀しむ者がほとんどいないような状態になったのだ。

彼女は生前、よく友人たちと出歩いていて、何かをしていたという――だがいったい何をしていたのか、それを知っている者は誰もいない。彼女と一緒に行動していたはずの友人たちは、全員まるで口裏を合わせているかのように〝二、三度くらい一緒に下校したかも知れないが、特に印象に残っていない〟と別々に発言した。

彼らは冷たい人間だったのだろうか。しかしそれにしては別に水乃星透子のことを悪く言うこともなかった。ただ〝覚えていない〟と言うだけなのである。

教師たちも、事故なのか自殺なのか不明なので捜査した警察関係者たちも首をひねった。しかし具体的に彼女の遺族からの訴えもなかったので、そのまま不審死として処理された。

水乃星透子は消えてしまった。

彼女の死んだ後も、学校は混乱もなく、何事もなかったように運営されていった。彼女の存在した意味など最初から存在していなかったかのように。

ただ――ひとつだけ奇妙な証言が残っていた。ある日の早朝、彼女が学校のある施設にいるのを見たという者がいる。まだほとんどの生徒は登校しておらず、この証言者は運動部の朝練の、さらに自主トレーニングで校庭を走っていたのだが、そのときに水乃星透子を見かけたというのである。彼女は空を見上げながら、ひとり、歌うような口調で空に向かって、

〃イマジネーションの最大の弱点は、忘れられてしまう可能性の方が遙かに多いということ……私も、きっとその流れに乗るだけでしょうね〃

と言っているのを。誰かそこにいたのか、それとも一人で芝居の練習でもしていたのかわからなかったが、後から思い返してみると、変なことに気づいたという。彼女が立っていたのはプール施設の中で、それを下から見上げていたのだったが、その位置というのがどうも、

「水面の上に立っていた」

としか思えない場所にいたというのである。それが何を意味しているのか、理解できる者は誰もいなかった。

＊

「私、を……？」

成城沙依子は、薄気味悪い枯れ木のような男を前に、痺《しび》れたようになっていた。男はうなずいて、

「そうだ。あの間抜けな統和機構の追っ手、不破明日那を何度も何度も餌として野に放ち続け

て、四度目でとうとうおまえが引っかかってくれたのだ。あれを利用し続けたのもあながち無駄ではなかったようだな」

　と静かに言う。

「明日那の記憶を奪っていたのは、おまえなの……？」

「すべては再び我等の〝活動〟を再開させるためだ。仲間たちを呼び集めて、彼女の果たそうとしていた〝夢〟を実現させる……そうだフットプリンツ――かつてはおまえも共に追いかけていた〝夢〟を」

　男の目は異様に輝いている。その目の輝きだけはユージンに欠片も似ていない。あの少年はそんな風に目を輝かせることは決してなかった。どんなことにも醒めていたものだった。

　しかし――成城はそいつのことをニセモノとは感じなかった。こっちはこっちで、深く知っているような、否定のできない生々しい感触があった。

「不破明日那はもともと、この地域の監視を担当していた。統和機構から派遣され、潜伏していたのだ。そしてヤツは、我々のことを勘づいた。それが一年前のことだ」

「…………」

「ヤツはおまえを調べていたのだ。不審な行動を取り始めていたおまえを疑っていたのだろう。だがもちろん、あんな程度の戦闘用合成人間など、彼女の前ではただのクズでしかない。殺す価値もないから、私が適当な処置をするだけで、放置しておいた――それが後で役に立つことになった訳だ。ヤツが私のあてがった衣装を抱えて、記憶を喪失した状態でふらふらすることで、こうしておまえが私の下に来てくれたのだからな……」

男の声は掠れるだけでなく、不自然な雑音が混じっている。ひゅうひゅう、と空気が漏れるような音だ。

「いったい……明日那に何をしたの？」

成城がそう訊くと、男は世にも悲しげな表情になった。それがあまりにも哀れみを誘ったので、成城は一瞬、自分が何を訊いたのかわからなくなった。男は混乱している成城に向かって、

「私に、能力の使い方を教えてくれたおまえにそんなことを言われるとはな……〝私が死ねば、みんな私のことを忘れる〟……彼女の言っていたことは正しかったのだな——」

と呻くように言う。それにもやはり、空気が漏れるような雑音が絡みついている。

「おまえは私よりも先に、彼女の仲間になっていた。そして私に、世界のあるべき姿を教えてくれたのもおまえだったのに——彼女に従うことこそ正しい未来だと言ってくれたのに……しかし、そのおかげで私はまだ持ちこたえている。過去のおまえの聡明さに感謝すべきなのだろう——」

「何を言っているの、さっきから——」

「かつてのおまえは私に言った——忘却というのは単なる消耗ではない。それは積極的なひとつの方向性であり、意思であり、攻撃なのだ、と」

「――――」

「私の能力〈パラダイム・ラスト〉は――他の者に〝忘却〟を植え付けることができる力だ。これを前にしたら、たとえどんなに最強の能力を持っていても、その使い方を忘れてしまえば、その時点で我々の敵ではなくなる――無敵のパワーなのだ」

「…………」

話しかけられて――成城沙依子の中で、奇妙な納得が生じていた。

忘却とは積極的な方向性――その考え方を、どういう訳かすぐに理解していた。


人は一生の内で、どれくらいの出来事に遭遇するのだろうか？

その膨大な刺激の数々の中で、どれくらいのことを覚えているのだろうか？

ほとんどのことは忘れる――人が覚えていくのは、関連性がある出来事だけだ。この音は前にも聞いた、何度か繰り返した……そういうことが重なって赤ん坊は言葉を覚える。人生の前に現れた関連の数々が記憶を、精神を、性格を形成していく。関係性のない事柄は次々と忘れていく。しかし……ここで忘れなかったとしたら、一体どうなるだろうか？

目にしたあらゆるもの、耳にしたあらゆる音、触ったあらゆる感触をすべて記憶していったとしたら、いったい人はどうなるだろうか？

忘れるという〝隙間〟があるからこそ、人は思考ができるし、自分の意思というものを持つことができるのだ。何も忘れられない者は、膨大な情報の海の中で溺《おぼ》れるだけで、自主性を得ることもできずにそのまま沈んでいくだけである。それは生命が地上に出現したときから、長い長い時間を掛けて獲得してきた〝本能〟のひとつでもあるのだろう。様々なことを記憶するために脳が大きくなると同じくらい、あるいはもっと多大な手間を掛けて、生物は忘れることを進化させてきたのだ。

前に生きてきたやり方を忘れるから、新天地に進んでいくことができるし、前に出くわした危険を忘れるから、何度も懲《こ》りずに挑戦して、いずれは克服することもできるのだ。

その〝忘れる〟という力——その意思を自在に操ることができたなら、これは忘れて、これは覚えているという選択が自在にできるようになったら、いったい人はどこまで進むことができるのだろう？

「これも可能性のひとつだわ。世界の殻を突き破って〝突破〟する方法のひとつになり得る——人々の心の中の構造を崩壊させたり硬直させたりできる、あなたの能力は〈パラダイム・ラスト〉と呼ぶことにしましょうか——」

ふいに成城沙依子の脳裏で、そんな声が聞こえた。

どこまでも透き通っているような、青空と静水と、その境界線が溶けだして区別がつかなくなっているような情景の、その中で響いていくような声。

彼女の声。

「あ――」

思わず、喉から息が洩れていた。心臓を摑まれたような気がした。

その顔を見て、干涸らびた男の表情に安堵《あんど》が浮かんだ。

「やっと――やっと届いたな。完全に想い出すことは不可能でも、おまえの上に積み重なっていた〝忘却〟の層を限界まで剝《は》ぎ取っていけば、きっと魂に届くと思った――そこにいるはずの彼女と出会えるだろうと……」

それは決して〝記憶を奪う〟のではない。操っているのは〝忘れる〟というパワーだけだ。

今――この男は成城沙依子から〝忘却〟を取り除いているのだろう。

そのため、奥底に隠されていた記憶が、土の中から遺跡を掘り起こすように姿を現した――

しかし、

「で、でも……」

想い出せた訳ではない。イメージだけが心の他の部分と切り離されて、ふわふわと漂っているだけだ……決定的な何かが切れてしまっていて、目覚めたときには想い出せない夢のように、曖昧な幻影でしかない……。

「わかっている。彼女が死んだときに失われたものがあまりにも大きすぎるのだ。彼女に関わったことがすべて、世界から流れ去ってしまった――残っているのはバラバラになった破片だけ……私のように」

男の声に混じる雑音が、どんどん多くなってきている。

喉から空気が漏れているのだった。

身体がボロボロになって、崩れていこうとしている……それは代償だった。

「おまえは――」

「彼女のことを忘れさせようとする、世界の圧倒的な流れの力――それに逆らって、彼女のことを忘れさせようとするパワーを、私はなんとか他の者に移し替えることでここまで長らえたが――それも、そろそろ終わりだ。あまりにも〝忘却〟を失いすぎて、生物としての限界を超えてしまっている……だが、ギリギリで間に合った」

男は手を伸ばしてきた。枯れ枝のように肉がそげ落ちた手だった。

彼女のことを覚えている代わりに、他のすべてを喪失していった人間の、その成れの果てだった。

「あ……」

成城は気づいたときには、男に向かって手を伸ばしていた。

指先が触れるか触れないかというところまで近づいたとき、相手の手が脱力して下に落ちそうになって、成城はとっさにそれを掴んでいた。

みりっ……という軋みが手のひらに伝わってきた。劣化しきった皮膚が罅割《ひびわ》れて、骨が砕けたのだった。だが男は痛みを一切感じないらしく、その砕けた手で成城の手を逆に握り返してきた。

「おまえに渡す——彼女が私に授けてくれたこの能力を——〈パラダイム・ラスト〉は今からおまえのものだ……！」

成城の視界が一瞬、まばゆい閃光《せんこう》によって真っ白に染まる……そして視力が戻ってきて、再び薄暗い室内の様子が目に入り……

「——」

すぐ前にいたはずの男の姿は、どこにもない。

その代わりに、成城の足下に何かが積み上がっている。

フード付きのレインコートがくしゃくしゃになって落ちていて、赤茶けた砂状のものが布地を取り囲んでいる。袖や裾《すそ》からこぼれだしている。

もはやそれは死体とさえ呼べない、あらゆる構造を喪失した微塵《みじん》の山だった。

「…………」

成城は自分の手を開く。そこにはわずかに残った塵《ちり》がまだ残っていた。開くと同時にそれはさらさらと滑り落ちていき、宙に舞って散っていく。

〝渡す〟——

確かにそう言っていた。成城が結局、名前も知らないし、想い出すこともできなかった男が告げた、その言葉の意味は——。

「……これは——」

成城は横に積み上がっている犬の死体の山に目を向ける。

さっきまではそれは、単に死体の周りに錆がびっしりと付いているだけのものでしかなかったが、今は——そこに視《み》える。

錆の上に無数の記号が、文字があった。文字というのは奇妙な表現だったが、とにかく成城にはそれが読める。

色々なことが書かれている……しかし要約すると、そこには、

『死んだことを忘れてしまえ』

という文章が書かれているのだった。その文字は点滅している。一時停止のハザードランプのように。

「私は——」

成城が死体たちに近寄っていき、手でその文字を吹き消すような仕草をすると——その死体はたちまち形を崩していき、ざらざらと崩れ落ちていった。

これで本当に死んだのだ、とでもいうかのように。

〈パラダイム・ラスト〉——それは忘却を操ることができる能力。

今、それが成城沙依子に宿っているとしたら——彼女はもはや統和機構に所属する合成人間ではない。その尖兵《せんぺい》ではない。

機構が血眼《ちまなこ》になって追い続け、見つけ次第即座に抹殺することを至上命題としている敵——MPLSである。

「私は——そうか……」

とっくの昔にそうなっていたのだ。それを今まで忘れていただけだったのだ。完全に想い出すことはできないが、自分はかつて、自らの意思でその道を選択していたのだ。

すべては、彼女のために——

「水乃星透子……」

その名を呟いても、もうそれにはなんの実感も伴わない。彼女の心の中にあったその名への気持ちは完全に消滅している。

だが、想像することはできる。

今の、名も知れぬ男が生命を捨ててまで繋いだその執念と、自分の中にこびりついたかすかな記憶から、イメージすることができる。

それは世界の限界を突破して、次なる可能性を切り開く存在なのだ。

そして今、それを一部だけとはいえ、曲がりなりにも受け継いでいるのは成城沙依子ただ一人なのだった。

「…………」

彼女は来た道を戻っていく。

空き店舗から出て、表の通りに出る。

そこには無数の人々が倒れている……その上に見える。

錆に覆われた文字が浮かび上がっている。


『何もかも忘れてしまえ――』


それはかつて成城が、水乃星透子のことを忘れてしまったときに彼女に喰い込んできた〝忘却〟であった。あの干涸らびて崩壊してしまった男は、これを成城から剝ぎ取るために、かくも大勢の者に移さなくてはならなかったのだ。忘却は消し去ることができない。必ずどこかへ移動させないと拭《ぬぐ》い取ることはできないらしい。

街中の人間に移してなお足りぬほどの、膨大な忘却の力――。

（私一人でさえ、これだけの忘却に覆われていたのか――水乃星透子のことを忘れさせようという力はそれほど強大だったのか……だが）

それを今、くぐり抜けたのだ。

確かに記憶の著しい劣化は否定できないが、それでも間接的に意思をつなげることに成功したのである。

（私に――つながった）

まずは何より、水乃星透子が何をしようとしていたのか、それを想い出さなければ。

それにはどうすればいいいか？

（あの男は、戻ってきたのは私だけ、と言っていた――つまり、他にも仲間がいたのだ。私のように、水乃星透子のことを忘れてしまった者たちが――私がすべきことは、彼らを再び集めることだ。中にはきっと、私よりも水乃星透子のことを想い出せる者がいるはず――彼らに喰い込んでしまっている〝忘却〟を取り除けば、きっと――）

成城は考えながら、路地から表通りに出ていく。

すると――声が掛けられる。

「な、成城――！」

振り向くと、そこには狭間由紀子と不破明日那が立っていた。

ああ、そうか――と思う。

この二人には成城の〝忘却〟がうまく伝達しなかったのだ。彼女のことをよく知っているから——その記憶がちょうど磁石の同極同士が反撥するような作用を起こしたのだろう。だがそれでも諸山文彦はいないところを見ると——

「触れれば、染み込ませることはできるのだろうな——」

ぼそりと呟いた。その彼女の様子を見て、不破明日那の表情が険しくなる。それを見て、成城も、

「どうやら、おまえたちに作用していたはずの〝忘却〟は、さっきの爆発的な能力発動の余波で、剝がれてきているらしい……」

とニヤリと笑った。

「想い出してきているか、不破明日那——統和機構の追っ手としての、記憶を」

「————」

不破の目つきは、もう今までとは歴然と違っている。それは友人や仲間を見る眼ではない。敵を見る眼だった。

「ど、どうなってるのよ——何なのよこれ？」

由紀子のか細い悲鳴が通りに響く——。

blank／6——世界／死神

……果たしてこの“死神”の正体はなんなのかという方向に
噂はほとんど展開されず「あれはヤツの仕業」という
事後の話で終始するのは、
そういって納得したくなるような不条理が
周囲にかなり存在するということで——

——早見壬敦〈仮称ブギーポップ〉

……彼女はいつも穏やかに微笑んでいたが、同時にいつもどこか寂しそうだった。

その孤独をどうにかして埋めたい、と私は常に願っていた。

しかし彼女は、そんな私の想いを見抜いていたようで、

「私のことで思い煩うのはやめて。無意味だから」

と折に触れて言われた。私はきっと不満げな顔をしていたのだろう。彼女はあるとき、

「ああ――まだ早いわ。そういう顔をするのは早い。私たちはまだ夢の途中。あなたが私に同情したり哀れんだりするのは、私の夢がせめて入口にまで到着してからよ。そうなったら、いくらでも私のことを可哀想だと思っていいから。今は駄目よ」

と悪戯っぽい口調で言った。

あまりにも絶大な能力を有するが故に、誰も彼女に並ぶことができないという絶対的な孤独――それを彼女は、まるで〝一緒に遊ぶのは宿題が終わってからね〟とでもいうかのような気楽な調子で扱うのだった。

「あなたもよ〈パラダイム・ラスト〉――あなたも〈フットプリンツ〉と同じような顔をしているわね。そんなものは後回しにして」

彼女が他の仲間にもそう言うのを、私はただ見つめることしかできない。

その無力感は、でも——

1.

（——でも、なにかとても甘美だったような……そんな感触だけがある）

成城沙依子は、自分に向かってくる不破明日那のことを真っ向から見据えながら、心の奥底から陽炎《かげろう》のように立ち上ってくる気配を感じていた。

彼女に向かって、不破明日那が近づいてくる。

「説明を聞かせてもらえる？　成城——いや、フットプリンツ」

そう話しかけてくる相手に、成城は不敵に微笑んで、

「完全には想い出せないはずよ、明日那——自分が何者なのか。あなたにはそう簡単には解けないくらいに〝忘却〟が上塗《うわぬ》りされているのだから」

と言う。その口調がそれまでとは変わっている。

地が出ているのではない——影響されているのだった。新たに植え付けられた能力〈パラダイム・ラスト〉と、それにこびりついている記憶に。

「——あんたは悟ったって言うの、成城」

明日那は路上に、無数に倒れ込んでいる人々を避けながら進んでいく。彼らを汚染した何かは、触れると彼女をも冒すであろうことは理解している。

「ただ、得体の知れない敵に洗脳されて、おかしくなっているだけなんじゃないの」

これに成城は応えず、彼女の背後にへたりこんでいる由紀子にちら、と視線を向けて、

「狭間――もしかしたら、あなたの願いを叶えてあげられるかも知れないわよ？」

と語りかけてきた。

「え？」

「私の仲間になって、ブギーポップと戦うことになれば――あなたはヤツに殺してもらえるかもよ？　ただ、その前に今の記憶はなくなることになるけれど、ね……」

かつての彼女とは似ても似つかぬ饒舌《じょうぜつ》ぶりに、由紀子の背筋が凍りつく。

（こ、こいつは……）

由紀子が戦慄しているところを、彼女に背を向けたままの明日那が、強い声で、

「逃げろ――由紀子。あんたはとにかく、ここから離れろ！」

「あ、あんたは――どうするの？」

「私は……あいつを取り押さえる」

言いながら、明日那の足は停まらず、成城の方に向かっていく。

「で、でもあんた、記憶はまだ――」

「だから——あいつを制圧すれば、きっと戻る！」

と叫んだときには、もう明日那の身体は全力疾走に移っていた。

それまでのためらいがちの動きとは違っていた。どんな陸上選手よりも、いや野生動物よりも速い、ほとんど機械のような速度で飛び出した。

以前の戦闘で、身体の反応速度ならば明日那の方が上だということは証明されている——だがそれを知っているはずの成城の顔には、まったく焦る様子がない。

彼我《ひが》の間合いが交錯しそうになる、その直前——それまで直立不動だった成城沙依子の身体が動いた。

前後左右のどれでもなく、浮いた。

彼女の最大の特徴である物体を破壊する足の裏——それが地面との間に衝撃を発生させ、反動で彼女を吹っ飛ばしていた。

空を飛んでいく——明日那の遙か頭上を飛び越して、入れ替わりのように由紀子の真ん前に落ちてきて——気づいたときにはもう、触られている。

首筋に手が伸びてきて、ざらり、と撫でられる——その感触が襲ってくる。

認識という認識に、すべて砂が混じってくるような感覚。

視界に砂が混じり、匂いに砂が混じり、味覚に砂が混じり、皮と肉の間に砂が混じり、耳に砂が混じり、ざーっ、という雑音が満ちる。

それが〈パラダイム・ラスト〉の感触。その能力が襲いかかってくる実感。

（あ――）

恐怖も何もなかった。ただ剝き出しの〝忘却〟に晒されて、思考するすべての余裕を瞬時に剝奪されて、何も思うこともできずに、

「――――っ」

と狭間由紀子はその場に倒れ込んでいった。彼女が地面に崩れ落ちる前に、成城はふたたび飛んでいる。

後ろから明日那が突っ込んできていたからだ。

明日那は手を前にかざしている――そこから見えない何かが射出される。それは糸のように、網のように、成城の身体中に絡みつく。

不破明日那の特殊能力が、記憶を失っていたときには一度しか出せなかったそれが、今、成城に向かって放たれていた。

それは真空だった。

手のひらの皮膚を振動させて、空気と空気の間に隙間を造り出して、相手に投げつける――カマイタチのように、その真空は相手を切り裂いて、行動の自由を奪い、急所を破壊する。戦闘用合成人間の、訓練された殺人能力。

それが成城を取り囲んで、そして締め上げる。

一瞬で、空中でバラバラになった破片が舞い散る……ひらひらと落ちていく。

「——ちっ」

と明日那が舌打ちする前で、その破片たちが路上に到達して、停止する。

マントと帽子だけ——成城を包んでいた扮装だけしか破壊されていない。

振り向くと、本人が離れたところに立っている。

通りを区切っている鉄柵の上に、一点で静止している。

穏やかに微笑みながら、こっちを見ている。

明日那の足下で、由紀子が他の者たちと同じように、ぴくりとも動かず眼を見開いたまま硬直している。

生物であることを忘れてしまっている。

「…………」

明日那は成城を睨みつける。その視線を真っ向から受け止めながら、成城は静かに言う。

「きっと狭間は満足していると思うわ——彼女が何よりも恐れていたのは、つまらない日常の中に埋没することだったから。もうそんな心配は要らない。何も考えなくてもいい。自分が平凡なありふれたその他大勢にすぎないんじゃないかって不安に駆られることもない——解放されたのよ、彼女は」

「おまえは——なんなんだ？」

そう問われて、成城は逆に、

「あなたはなんなの、不破明日那」

と訊いてきた。

「自分が何者か想い出せないって――どうせ想い出したところで、何も変わりはしない。あなたはなんでもない――自分では何も決めず、何も求めず、何も考えない。そう、世の中のほとんどの人間たちと同じ。合成人間だろうと変わりはしない。自分では何も決断せずに、ただ世の中の、過去からの惰性に流されるだけの存在。あなたのようなヤツで世界中は埋め尽くされている。だから――誰かが突破しなければならない」

「…………」

「ひとつ提案があるんだけどね、不破明日那――あなた、改めて私たちの仲間にならないかしら？」

「…………」

「あなたにも薄々わかるはず――あなたが記憶を失って、統和機構はそのことに警戒を持っている。私の不審な行動は当然、警戒されているけれど、それはいきなり態度が一般人のそれと同じになってしまったあなたに対しても同じ――仮にあなたがここで私を倒したとしても、あなたに未来はない。ただ統和機構に危険分子予備軍とされて、抹殺されるだけ――わかってるんでしょ？　いくら〝忘却〟を植え付けられても、その不安だけは消えなかったようだから

——自分がおかしくなっていることが周囲に知られたらまずい、とずっと感じていたんでしょう？」

「…………」

「あなたに未来はない。ここで死ぬか、いずれ消されるか——だとしたら道はひとつ、この限界だらけの世界を突破するだけよ」

「——」

明日那は周囲に転がっている動かぬ人々を前に、苦虫《にがむし》を嚙み潰したような顔で、

「……それは、おまえが言っているだけだ。こんな風に大勢を——無関係の他の人間を踏みにじるような真似ができるヤツが、まともなことを言うと思うか？　信じてもらえると期待しているのか？　ふざけるな——」

と吐き捨てるように言う。成城は眼を細めて、

「じゃあ、どうするの？　いっそ——」

と成城が言いかけたところで、明日那は再び動いていた。

相手に接近して、攻撃が届く間合いに入ろうとする——成城の足から爆風が発せられて、その身体が後方に飛ぶ。逃げられると同時に衝撃波も喰らっている。

扮装がボロボロになる——よろけるが、それでも怯《ひる》まずにそのまま突進する。マントが千切れて落ちる。

成城はにやにや笑いながら、追ってくる明日那を弄ぶようにふわふわと飛んでいく。商店街の通りから外にも出る――野放しになる。

「――待てっ！」

明日那は障害物を避けながら走っているため、やや遅れ気味になりつつも必死で食らいつこうとする――通りから駆け出していこうとした。

その目の前に飛び出してきた人影があった。商店街に入っていこうとしていた通行人だった。

「――――っ?!」

思わず身を引いて、たたらを踏んで転びそうになるほど仰け反った。向こうも驚いた顔をしている。

「ふ、不破ちゃん――？」

眼を丸くしてそこに立ちすくんでいるのは、記憶に残っているたったひとりの友人だった。

末真和子だった。

2.

「な、何してんの、不破ちゃん――」

末真がおそるおそる話しかける。不破明日那の殺気立った顔は、どう見てもただごとではなかったからだ。

「――――」

明日那は明らかに動揺していた。末真に何か言おうとして口を開きかけるが、すぐに奥歯を噛み締めて、首を振って、眉間に皺を寄せながら、

「――どいて!」

と末真を突き飛ばして、走って行ってしまう。

よろけた末真が体勢を整えて、顔を上げたときにはもう、明日那の姿はどこかに消えてしまっている。

「ちょ、ちょっと――これって……?」

末真は混乱しかけたが、すぐに頭を振って落ち着きを取り戻し、

「ああもう、なんなのよ!」

と持っていたカバンを同行者に押し付けて、

「ごめん藤花、中で待ってて!」

と自分も明日那が逃げ去った方角へと走りだした。

「………」

同行者の少女は、無言で末真の後ろ姿を見送る。

やがて彼女は、路面に眼を落とす。末真と明日那がぶつかりそうになったときに、地面に落

ちたものがあった。

黒い布地で作られた帽子がそこに落ちていた。それを拾い上げて、しばし見つめて、そして、

「……なるほどね」

と言った。その顔が奇妙な左右非対称になっていた。

そしてきびすを返して、その姿はバビロン通りの中へと入っていく——。

＊

……そういえば、と由紀子は想い出す。

自分は一度だけ、彼女と話したことがあった。

彼女は他の人間たちと、どこがどうという訳ではないが——何かが違っていた。他人とは決定的に違う何かがあった。それがなんなのかわからないことがひどくもどかしかったが——今ならわかる気がする。

彼女が、他の者に何も求めていないのが異様だったのだ。

共感も賞賛も、罵倒も尊敬も、愛情も嫌悪もいらない——すべてを等分に受け止めるだけで、何も求めない。

それが不思議だったのだ。

大勢の取り巻きに囲まれていたのに、全然威張ったり驕《おご》ったりする偉そうなところがないのが、どうにも鼻についた。といって下手《へた》に悪口とか言おうものなら自分の方が皆からもっと悪く思われそうで、ただ彼女のことを避けていた——そんなとき、たまたま廊下ですれ違ったことがあった。

もちろん早足で通り過ぎようとした——そのとき、妙に耳元に響く声で、

「ふふっ——」

と笑い声が聞こえた。ぎょっとなって振り向くと、いつのまにかすぐ近くに彼女が立っていて、

「ごめんなさいね、狭間由紀子さん——」

と言った。

「……は？」

「あなたが私のことが嫌いなのは知っているわ。でもそのおかげで……あなたはやがて、私の友だちを救ってくれるのよ。だから——今のうちに、生前に、お礼とお詫びを言っておくわ。迷惑を掛けてごめんなさい——そして、ありがとう」

一方的にそう言われて、それはとても透き通っていて甘く、優しく、柔らかい涼風のような声で、ぽーっ、と陶然《とうぜん》としてしまって、そして我に返ったときには、もう彼女の姿はどこにもなかった。

――今の今まで忘れていた。

それが脳裏《のうり》に蘇ったときに、同時にもうひとつのことに気づいていた。

彼女をこんな場所にまで導いた、その根拠――彼女の奇妙な自負心《じふしん》を後押しした、あの白い少女……あの顔は、まさしく……

「だから、お詫びを言っておいたでしょう。狭間由紀子さん」

……声が聞こえて、そっちを振り向くと、やはりそこに立っている。

ずいぶんと幼い姿で、しかし間違いようのない独特の雰囲気をまとって、自分の方を見つめてきている、その姿は……

「水乃星……透子……？」

そう呟くと、彼女は少し寂しげな顔をして首を左右に振る。

「もう、その名前を持っていた少女はいないわ。ここにいるのは、あなたという意識の中にわずかに残っていたイメージにすぎない。そう――あなたが私のことを大嫌いだったおかげで、私のことを微妙に覚えていてくれたから――かろうじて、こうして淀んでいる」

ずいぶんと小っちゃいのね――と言ってみると、彼女は笑って、

「それだけ存在感が薄いってことよ。でも、これで充分。私が〝いる〟というだけで、あなたの下にあいつが自動的に吸い寄せられてくるから。いや……泡だから浮かび上がるというべき

かしら？」

と鈴を鳴らすような可愛らしい声で言った。その笑い声がまだ耳の中で反響している間に、由紀子は……。

＊

（…………）

眼が醒める。意識を失っていたのか、考えるのをやめていたのか、その区別は由紀子にはついていなかった。ただ彼女にびっしりとこびりついていたはずの〝忘却〟が剝がれ落ちていた。

由紀子の中にあるとても幽かな因子が、それだけが〈パラダイム・ラスト〉に対する唯一の抗体《こうたい》なのだった。その能力は〝彼女〟から始まった。だからどんなに忘却を重ねようとも〝彼女〟に関することだけは、決して忘れさせることができないのである。

「…………」

由紀子はぼんやりと空を見上げる。だんだん薄暗くなってきている。夕方に入りつつある。その弱まった光の中で、彼女は身を起こそうとする。身体にうまく力が入らない。身体の動かし方のあれこれをいちいち想い出さないといけないような、まどろっこしい感覚があった。手が滑って、身体が大きく傾いた。

そこで、腕を掴まれる。決して力強く、という風でもないのに、なぜか彼女の動きはその手に握られた瞬間にぴたりと静止した。

「大丈夫かい？」

と掛けられた声に、ええ、ありがと——と返事をしかけて、その眼が、

「——」

とまん丸に見開かれる。

すぐ横に、いつの間にか立っていた。

その格好自体は知っていた。よく知っている。知っているどころではない。今、彼女が着ているのがそれに極めてよく似た扮装だったからだ。

筒のような黒帽子に、全身をすっぽりと包んで身体を隠してしまう闇色のマント。地面から伸びているそのシルエットは、人というよりも極太の杭のようにさえ見える。

目深に被った帽子の下から覗く真っ白な顔に、不思議な形に歪んでいる黒いルージュ。

「君はどうやら、この混乱した状況の鍵のようだね？　望むと望まざるとに関わらず、君に責任が押し付けられているみたいだ——どうする？　手伝ってほしいかい。それとも余計なお世話かな？」

そいつは妙に気軽な調子で話しかけてくる。男の子なのか女の子なのかはっきりしない中性的な声だった。どこかでその顔を見たような気がするが、しかし想い出せない。というより想

い出しても無駄なような気がする。誰であるかとか、正体とか、そういう追求が無意味な気がしてならない——何よりも自分はもう……

「…………」

「そうだろうね。君はもうぼくのことを知っているようだね。まあ君が考えていたものとはずいぶんと違うのかも知れないけど、それはぼくのせいではないね。なにしろぼくは自動的なんでね。色々と適当な感じになってしまうのはやむを得ないのさ」

ひょうひょうとした口調で、とぼけたように言うそいつは、その印象は——確かにイメージとは違いすぎたが、しかしそれでも、そいつのことはこう呼ぶしかなさそうだった。

「——ブギーポップ……？」

その名前に、その黒帽子は顔をちょい、と左右非対称に歪めてみせて、

「ご期待に沿えないことを謝った方がいいのかな？　それとも下手《へた》な言い訳であれこれと弁解しない方がマシと感じるかい？」

と訊いてきた。

3.

（くそ——どうしよう？）

不破明日那は焦っていた。

成城を追いかけながら、背後から末真和子が追いかけてくるのを感じる。

「明日那、あなたは戦闘力なら私に勝っている――とまだ思っているの？」

成城のせせら笑う声が彼方から響いてくる。

「それは甘い考えよ――それが統和機構の限界。戦闘用合成人間如《ごと》きで、MPLSに勝てると本気で思っていることが、既に度《ど》し難《がた》い愚かさ――」

成城は、さすがに連続して飛翔するのは消耗が激しいのだろう。今は地面に降りて路上を疾走している。その速度は明日那と互角か、あるいはそれ以上のようだった。機動力では相手が上手《うわて》かも知れない――しかし末真がこっちに向かってきてしまっている以上、いったん間合いを取って様子見、ということはできない。

（あくまでも、即座に――成城を制圧しなければ――）

ともすれば引き離されそうになる相手を必死で追跡する。

しかし間合いには気をつけなければならない。触れられただけで〝忘却〟が襲いかかってくる。攻撃はぎりぎりの位置を保ちながら、実行しないと――。

（動きを止めるとなると足首を切るのが的確か……アキレス腱を断裂させてしまえば、きっと足の裏からの波動も無効化できる……走っているときの送り足を狙うべきか……動きのタイミングを見極めるのが第一か……右脚と左脚、どっちに狙いをつけるべきか……どうすべきか……あすべきか……あれ？）

　思考していて、明日那はふいに自分が今、何を考えていたのか、よく想い出せないことに気づいた。

（……何をすべきだったんだっけ……右とか左とかって何を悩んでいたんだっけ……なんで走っているんだっけ……？）

　彼女の前で、いつのまにか成城沙依子が立っている。逃げようともせず、そのまま待っている。

「あ……」

　走ってきた明日那は、成城のすぐ前までふらふらと寄っていって、同じように立ち停まってしまう。

「ふふん――」

　成城は薄ら笑いを浮かべながら、手を前に出して――ぱあん、と明日那の頬を平手打ちした。

　明日那はされるがままで、避けようともしなかった。ただ茫然と、立ちつくしている……そこに成城が声を掛ける。

「馬鹿ね――まっすぐに風下から私を追いかけたりして……直に触れられなければ効かないって安心してたの？　私が触れていた空気を無防備に浴びすぎたのよ、あなたは――正常な判断力を失っていたのは、あの娘のせいかな？」

と、成城は向こうから息を切らせながら走って追いかけてきた少女に眼を向ける。

「末真和子――だっけ？　なんだか知らないけど、あなたと狭間が妙にご執心だったわよね。彼女は――」

にやり、とその眼が邪悪に細められる。

「じゃあ、いっそのこと彼女にも、我々の仲間になってもらおうかしら？」

＊

「…………」

ずるり、と由紀子の頭から帽子が滑り落ちた。倒れたときにずれていたので、今まで引っかかっていたのが逆に不自然だったのかも知れない。

「おっと」

彼女の前に立っている黒帽子が、それをひょい、と空中で拾い上げる。

「落ちたよ」

と差し出してきたのを、由紀子は乱暴に叩き落とした。

「いらないのかい？　割と高級な生地を使っているようだけど」

黒帽子は緊張感に欠ける声でそう言ってきたが、これには返事をせず、由紀子は身にまとっていたマントを脱ぎ捨てた。

　地面にばさっ、と広がったそれを、足蹴《あしげ》にして向こう側に押しやる。

「汚れてしまうよ、そんなことしたら。手洗いとか難しいんじゃないかい。クリーニング代も馬鹿にならないと思うがね」

　黒帽子はそう言いながらも、特に気にする様子もない。どうでもいいけどね、と言わんばかりの調子だった。

「………………うう」

　由紀子の唇が震えだし、その隙間から声が漏れだしてきた。

「ううう……」

「でもいらないんだとしても、放置はまずいよ。放置は。きちんと持ち帰って処分しないと。マナー違反だと言われてもしょうがないんじゃないかな。コスプレって文化は偏見を持たれがちだって言うじゃないか。個々人の意識の高さでそれを払拭《ふっしょく》しないと――」

「――ああああああーっ！　もおおお！」

　たまらなくなって、由紀子は大声を上げていた。

「な、なななななんなのよあんたは！　いったい！　ぜんたい！　まったく――なんのつもりなのよ！」

　身も世もあらずと、絶叫を絞り出していた。だがその騒音に黒帽子は眉ひとつ動かさず、静

かに、

「いや、それはどちらかというと、君の方なんだけどね。どういうつもりなのか、というのは。それを今すぐに決断しないと」

と言ってきた。

「何故なら——君にはそれほど猶予《ゆうよ》が与えられている訳じゃないから、さ」

その言葉に、え——と由紀子が虚を突かれたときだった。

彼女から見えている、黒帽子の向こう側の通りの、その輪郭《りんかく》が——ざわわわっ、と蠢《うごめ》いて見えたかと思うと、次の瞬間、それがばっ、と弾けた。

飛び立った……そこに留まっていた無数のカラスの大群が。一斉に。

「え……」

と由紀子が息を呑む間もあらばこそ、カラスたちは同時に、一方向に向かって飛びかかってきた。

すべて、由紀子の方に飛んできた。

彼女は、何も反応できなかった。逃げることも、伏せることも、思わず眼を閉じることさえできなかった。

だから……見えた。

カラスたちが彼女のもとに殺到してくる、その前に黒帽子がふらり、と立ちはだかって、くるっとマントを翻《ひるがえ》すように一回転したとたん……カラスたちがばらばらのこなごなに、瞬時に分解されて、飛散していくのを——その一部始終《しじゅう》を目撃した。

「………」

すべてのカラスは、死体の破片も残さずに、さらさらと砂のようになって空中に舞い散っていった。

「——いや、ぼくが仕留めたわけじゃない。あれらはもうとっくの昔に死んでいて、そのことを忘れさせられていただけだ。哀れな残骸だ。しかし……あっちの方は、まだ死んではいないんだよね」

と黒帽子が言うのとほぼ同時に、通り中に倒れ込んでいた人々が、その硬直したはずの身体を軋ませながら、次々と起きあがり始めた。

4.

バビロン——。

それは失われた都の名前。

その名が世界で語られるようになったとき、その国は地上から消滅していた。遙かな古代の、遠くに霞む幻影の記憶の中でしか存在したことのない仮想の国。神に挑むために天空へ伸ばされたバベルの塔に雷が落ちて崩れ去ったという伝説のためだけに誂《あつら》えられたイマジネーションの産物。

時には古代へのロマンとなり、時には邪悪の起源となり、時には繁栄の目標となった。だがそのすべては、あったかどうかもわからないバビロンそれ自体とは関係のないことである。

あらかじめ失われていたことが確定している夢。真の理由が決してわからないからこそ人々が己の願望を託せる、誰もそこに住むことはできない理想郷。

その名を冠した場所は世界中のあちこちにあるだろう。大して意味を吟味することもなく、ファンタジックな響きに惹かれて安直に引用されるだろう。

そこにあるものがなんなのか。夢の名残《なごり》なのか、わびしい貧しさの表れなのか、分不相応《ぶんふそうおう》の身の程知らずの驕《おご》りなのか、誰にもはっきり示すことはできないだろう。ただひとつだけ確実なのは、それがどんなものであれ、すべてはいずれ錆びついて、動かなくなり、捨てられて忘れられてしまうということだけだった。真実のバビロンが数千年前にそうなってしまったように、なにもかもが紛れて、消えていく――。

＊

一人一人が思い思いの仮装をしている、その人間たちがぎくしゃくと機械仕掛けのように立ち上がる様子は、なんだか前衛的な芝居の一幕を観《み》ているかのようだった。

彼らを動かしている歯車が錆びついているかのように、その動きはあちこちで引きつり、弾けたりする。そして……その全員が、由紀子の方を向く。

がしゃがしゃと痙攣する眼球が、彼女を視界の中心に捉えようとして脈動している。

「ひっ――」

と喉から掠れた声を漏らした由紀子に、黒帽子は落ち着いた調子で、

「で、どうするんだい」

と訊いてきた。

「ど、どうするったって――」

「彼らは、皆――君しか狙わないよ」

そう言い終わるよりも早く、異様な人々は彼女の方に飛びかかってきた。それは攻撃してきているのではない。

すがってきているのだ。溺れた人間が海に浮かんでいる一枚の板にしがみつくように。

彼らには今、なんの指針もない。精神も、本能も、記憶もない。動くためのきっかけのすべてが錆びついて動けなくなっている。

ただひとつ――由紀子の中にいる霞んだ記憶だけが、彼らに感じられるすべてだった。彼らにべったりと貼り付いた〝忘却〟が届かない、それは暗闇の中に灯っている一本の灯火《ともしび》なのだ

った。

だがあらゆる身体保護のための記憶を喪失している彼らの動きは、凶暴にして凄惨なものになってしまっていた。よだれを垂らしながら口を開けて迫ってくる者は、そのまま噛みついてくるのは歴然としていた。自分の中に取り込もうとするあらゆる動作を用いて、由紀子を貪《むさぼ》り尽くそうとしていた。

四方八方、あらゆる方角から襲いかかってくる――。

「うっ――」

と竦《すく》んでしまう由紀子に、黒帽子はさらに、

「ぼくには見えないが――君には見えるはずだ。あれは今、君の中にいるのだから」

と言いながら、動きだしていた。

ふわり、と舞い上がって、右に左にステップするかのように、跳び回る――その下で、様々な仮装をした者たちがばたばたと倒れていく。

何をしているのか、由紀子にはよくわからない。きらきらとした糸のようなものが黒帽子の指先から出ていて、それが人々の首に絡みついているようにも見えるが、曖昧にしか感じられない。

ただひとつ――歴然としているのは、黒帽子が近寄っていった先の人間は、例外なく倒れてしまうということだった。

そこに区別はない。

男でも、女でも、戦士でも、神官《しんかん》でも、悪魔でも、僧侶《そうりょ》でも、侍《さむらい》でも、忍者でも、妖怪でも、道化でも、王様でも、蛮人でも、海賊でも、そいつの指先がついっと振られるだけで、決定的な接続が絶たれたかのように崩れ落ちる。

それをなんと呼べばいいのか、もう由紀子は知っている。

（死神――）

そうとしか言いようがないのだった。

「…………」

唖然としている由紀子の視界に、ぼんやりと異質なものが見えた。この異様なる状況の中で、唯一まともに立っている人影が見えた。

こっちを見つめてくる、幼い少女の姿が。

「あ――」

少女は由紀子に向かって、手招きをしてくる。こっちこっち、という感じで、そしてすぐに、すうっ、と消えてしまう。

「え……」

と由紀子が声を漏らすと、黒帽子が人々を蹴散《けち》らしながら、

「見えたのなら――走れ」

と言った。特に強制するような響きはなかったが、それが耳に入ってきた瞬間、

「――――っ！」

と由紀子は走り出していた。

バビロン通りを突っ切って、斜めに横断するように駆け出した。

彼女が動くと、人々もそれに釣られて一緒に動いていく。そこに黒帽子がふわりふわりと舞い降りていく。

「――げはっ、はあっ、げははっ、はああっ……」

喉から自分でも聞いたことのない異音を発しながら、由紀子は全力で走る。振り絞って走る。体育の授業でも一回も出したことのなかった真の全力疾走を高校生になってからやっと経験している。

このとき――彼女には何もない。

歪んだ自意識もない。身勝手な願望もない。置いていかれたという劣等感もない。自分だけ疎外されたという孤独感もない。恐怖を感じている余裕もない。

ただ――走っている。

「げぼぼぼっ、がはっ、ぐほはっ、あばばっ……」

なりふりかまわず、必死で走る。

その先に何が待っているのかとか、こんなことをして何になるんだとか、そういう余計なこ

とを一切考えずに、ただ走る。

周囲に舞い踊る死神を従えながら、由紀子はひたすらに見えたかどうか誰にもわからない曖昧な方向へと突進する。

少女の幻影が見えたところに、遂に到達する。どうしよう——思う前に、また視界の先に少女の姿が見えて、消える。

考えるよりも先に、足が勝手に方向転換している。

ずるるっ、と靴底がすべて転びかけるが、それでも強引に走り続ける。

路地裏に入り込む。半分はシャッターが閉じてしまって錆びついている店舗ばかりの道だ。その中のひとつ——その降りているシャッターの先に、何かがあると感じた。

何も考えていなかったので、ただ走った。

子供でもそんなミスはしないだろう……降りているシャッターに向かって真正面から突撃した。当然がしゃん、と激しく顔面を打って、鼻血を出しながらひっくり返る……と、そのときにはもう、目の前にあったシャッターは眼に見えない速さで何かに切り裂かれて、ばらばらになって弾け飛んでいる。

「……くっ！」

鼻血をだらだら流しながら、由紀子は身を起こした。

がらん……と何もない店舗の空間に、少女が立っていた。

彼女の周りには、白茶《しろちゃ》けた粒子が漂っている。粉末をぶちまけた後のような……その粒子が、奇妙な渦を巻いているのに気づく。集束していく。

細かく描かれた点描のように、ぼんやりとしたシルエットが浮かび上がって見える……少年の姿をしている。

その点描が、少女の前に立っている。

〝ああ……〟

少年のものらしき嘆息が、どこからともなく聞こえた。

〝あなたは……そんなところにいたのですね……〟

それは心から嬉しそうな声だった。だがそこに、氷のような冷たい声で、

「いいや――彼女はもうどこにもいないんだよ。ぼくが殺したんだから」

という宣告が響いた。

いつのまにか、黒帽子が由紀子を追い越して、室内に足を踏み入れていた。

5.

〝――ブギーポップ……！〟

その点描のように幽かな影は、黒帽子の方に襲いかかっていった。

霧状の粒子が、黒帽子の全身に絡みついた。その姿が外から見えなくなるほどに、密度が上がっていく。白い錆で覆われてしまったように見える。

「い――」

と由紀子が言いかけたところで、彼女の背後から殺到していた人々が追いついてきて、彼女に次々としがみついてきた。

「――わっ！」

立っていられず、引き倒されて、後から後から彼女に群がってくる。

「わ、うわわ、うわあああ……っ！」

悲鳴を上げるが、人々の耳には入らないようで、無表情で、ひたすらに彼女の身体を取り合うように引っ張る。上に乗ってくる。下に入り込んでくる。横に割り込んでくる。揉みくちゃにされすぎて、くるくると身体が勝手に回転する。

自分の身体が、まったく自分の自由にならない。意思の欠落した他人によって弄ばれる……しかしその終点がない。襲ってきている者たちはすべてを忘れているので、彼女に触れたとしても特定の目的がないのだ。だがいずれ、押し寄せる者たちの圧力に潰されるか、呼吸できなくなって窒息するのは間違いなさそうだった。

〝今度こそ……！〟

どこからともなく幽かな声が響く。

〝今度こそ、私はあなたを……その記憶を守って……！〟

すると、由紀子の視界の中で、その錆の塊のような姿の前に立っている、少女の幻《まぼろし》が悲しそうな顔になっているのが見えた。

「いいえ――それは無理なのよ」

彼女は、この混乱している状況の中で、妙に明瞭に聞こえる声で言った。

「別れる前に言っておいたはずよ――もう違う、と。今のあなたはかつてのあなたでもないし、私と一緒に見ていたはずの夢のことも、その内容を忘れてしまっている――」

〝え――〟

「今のあなたは残骸――〝忘却〟を制御する能力さえもフットプリンツに委ねてしまって、残留思念《しねん》が指向性を伴って漂っているだけ。その想いが向いている先が――極めて危険。あの不気味な泡が現れてきた、その理由――この世から排除しなければならない、世界の敵……それが今のあなたなのよ」

少女は白い塊に向かって、寂しそうな口調で話しかける。

「あなたにあるのは〝忘れたくない〟という執念だけ。自分自身に能力を使いすぎて、その執念だけが呪《のろ》いとなって残ってしまった……だから言ったのに」

少女は、いつも穏やかに微笑んでいたはずの彼女は、とても悲しそうな顔をしている。

「消えてしまった可能性を取り戻すことだけは決してできない、って――今のあなたは人間たちから〝忘れる〟という自由を奪うだけの底無し穴――それはすべての人々の〝死〟を自由にしようとした、私たちのかつての目的からもっとも遠い存在。永遠の硬直だけで、まったく解放されることはない……」

少女の哀しそうな眼差《まなざ》し――それが心のどこか、手の届かないくらいに深いところに突き刺さる。

〝あ……〟

動揺したような声が響く。

「あなたは、夢はなんでできていると思う？」

前にも聞いたことのある問いかけが繰り返される。

「夢はふたつのものからできている――ひとつは未来。こうなったらいいという願望」

その声の向こう側で、なにかが聞こえ始める。それは隙間風《すきまかぜ》のような掠れた音で、途切れ途切れでありながら連続する響きを伴っている。じわじわと大きくなっていく、呼吸音のようでいて、決定的にただ息をしているのとは異なる音。

口笛。

とても人体のみで演奏するのにふさわしくない曲〝ニュルンベルクのマイスタージンガー〟第一幕への前奏曲が、いつのまにか空間に漂っている。

「そしてもうひとつが――終わり」

少女は白い塊に、寂しそうな顔のままで、うなずいてみせる。

「夢には終わりがある——到達するのか、挫折するのか、そこに差はない。夢が夢だとわかるのは、それの終わり方を人が理解したとき——夢はできあがる」

その奇妙な光景を——意思のない人々に揉みくちゃにされながら、由紀子は見ていた。

（あ——）

少女の幻がゆっくりと手を左右に広げていくのと、白い錆に覆われた塊の、その表面に無数の亀裂が走るのを。

そして、こなごなに砕け散る。

白い錆が破片となり、粒子となり、見えなくなって、消えていく。

消されていく——まるでそんなものは、この世に最初から存在していなかったかのように。

「————」

その下から、黒帽子がなんの変化もなくそのまま現れた。身体には塵《ちり》ひとつ残っていない。

由紀子の周囲に絡みついてきていた人々が、その動きを止める。

急に力を失って、皆、だらりと脱力していく。ごろごろと地面に転がって倒れる。

（あ——）

由紀子はふらふらしながら、立ち上がる。何かがぼやけていくのを感じる。この倒れている人々から、彼らを突き動かしていたものが失われたように、彼女からも何かが消えていこうとしている。

彼女がぼんやりと見つめる先で、少女の幻と黒帽子が見つめ合っている。

（あれは——）

「迷惑を掛けてしまったわね——私の友だちを看取《みと》ってもらって、感謝するわ」

少女がそう言うと、黒帽子は素っ気なく、

「ぼくには何も見えない。他人の記憶の中にしかいない存在相手に、会話はできない」

と言うと、少女は、ふふっ——と微笑んで、

「でも、あなたも今の彼と同じよね、ブギーポップ——あなたもしょせんは、遠い夢の名残に過ぎない。いずれは歪んで、最初の想いも忘れて、哀しく崩れ去っていくのよ。でも——」

少女の姿が、どんどん薄れていく。

由紀子の心の中から、彼女のことを消し去ろうとする流れがある。それに逆らうことができない。あれが誰なのか、由紀子はよくわからなくなっていく——それと連動して、幻も霞んでいく。

「でも——あなたにはそもそも、想いなんてないのかもね。なにしろ〝自動的〟だから……ざまあみろ、ってところかしら？」

少女はそう言うと、悪戯っぽくウインクをしてみせて、そして消える。

文字通り、何も残さず、跡形もなく。記憶にすら留めず。

「………」

黒帽子はきびすを返すと、がらんとした空き店舗の空間から出る。由紀子の横を通り、何処かへと去っていこうとする。

「―――」

由紀子は茫然と、その場に立ちすくんでいたが、はっとなって、慌てて振り向いて、

「あ、あの――ブギーポップ……？」

と呼びかけた。黒帽子は振り向きはしなかったが、立ち停まる。その背中に由紀子はさらに言う。

「あ、あの……あんたは、その――」

どうしても気になっていることを問う。

「その――殺したの？　早乙女正美と百合原美奈子のふたりを――」

声を絞り出して、なんとか言った。それが知りたくて、きっと自分はここまで来たのだと思った。これに黒帽子は、少しだけ首を前後に揺らしながら、

「だったら――どうする？」

と訊き返してきた。由紀子の指先が少しだけ震え出す。眼を伏せる。

「その――」

言い淀んだのは、答えが自分の中にないからだった。

なくなってしまった。確かにあったはずなのに、その焦燥《しょうそう》にも似た感覚が、もう彼方に遠いものに変わってしまっているのを、由紀子は自覚した。

「だから──」

と言葉を続けようとして顔を上げたとき、もうそこには黒帽子の姿はなかった。

周囲の人々が、ううん、と頭を押さえながら立ち上がっていく。

6.

「うっ──」

成城沙依子は、いきなり眩暈《めまい》に襲われて大きくよろけた。

そして身体を起こしたとき……なにか違和感があった。

(あれ……?)

自分はどうして、こんなところにいるのか──街から少し離れた路上に立っているのか、それが思い当たらない。

(確か──私たちは、動物の死体が動き回っている謎の現象の調査で──商店街に行く途中で──いや、もう行った後だったか──あれ?)

なにか、かなり重要なことが抜け落ちているような気がする……そして目の前に不破明日那が同じように、くらくら、と揺れる頭を押さえて顔をしかめているのが目に入る。

こっちを睨んでいる――ような気がする。まずいのかも知れない。困ったな、とちょっと思ったところで、やはりいつものように頼りになる彼女の妖精が視界の隅に浮かび上がる。

妄想ユージンだ。

「やあ、ひさしぶり。やっと戻ってきたね」

妄想なのに、変なことを言う。すると彼は苦笑して、

「君は表層《ひょうそう》意識だけで思考しているからいいけど、こっちは無意識もフォローしているから大変だよ――君が覚えていないことも色々あるんだよ？」

色々？

「まあいいんだ、それは。どんな能力でも、どんな才能でも、意識しなければ存在しないのと同じだからね。一万年前の古代人にいくら野球の才能があっても、道具を揃えてルールを知らなければ才能を発揮しようがない。埋没してしまうだけだ。ま、そういう運命だったのさ――〈パラダイム・ラスト〉という能力は」

妄想ユージンは訳のわからないことを言いだしたが、これも珍しいことではないので、成城は彼が理解できることを言うのを待つ。

「君に覆い被さっていた人格はどこかに行ってしまった――気がすんだ、ということなんだろうね。だから残された問題は、中途半端《ちゅうとはんぱ》に放り出された君がこれからどうするか、ってことな

妄想ユージンの言うことはとにかく全部聞くことにしているので、

「……僕にはなんとも言えないから、とりあえず目の前の彼女の指示に従ったらどうかな？」

と不破明日那を指差した。どういうことだろう、と成城は思ったが、しかし彼女は妄想ユージンは肩をすくめて、

ユージンは肩をすくめて、

んだけど……」

そうそう、それが知りたいのだった。助言してもらいたいのはそれなのだ。だがここで妄想

「明日那――どうする？」

と馬鹿正直に訊いてみた。

「う、ううん――」

明日那は頭を何度か振って、それからまた成城を睨んできて、

「――フットプリンツ、か？」

とやけに硬い口調で言った。成城は、ああ、と思う。

「明日那、記憶は戻ったの？」

「――そうらしいな……くそ、おまえは今まで何をしていたんだ？」

「いや――明日那たちと一緒に、あちこち」

「うう、そうだったわね――くそ、私は何を呆《ぼ》けたことをしていたんだ……とんだマヌケだ」

忌々しそうに言う。そしてまた成城を睨みつけてきて、

「私は、おまえを調べていたんだ――全然役に立たないで、不審な行動を取っていたから……なんでいつのまにか、そのおまえと一緒に馬鹿やることになったんだ？　まったく……わかってんの？」

「いや、全然」

「あんたねえ――！」

と明日那が成城の襟首《えりくび》を摑んで吊し上げようとしたところで、道路の向こうからこっちに向かって走ってきていた少女が、

「――やめなさいっ！」

と叫んだのが二人の耳に入った。同時に振り向くと、ぜいぜい息を切らしながら必死にこっちにやって来る末真和子の姿が見えた。

「――や、やめて――やめなさいっ――ケンカは、駄目――」

末真はよろよろとおぼつかない足取りで近寄ってきて、二人の間に割り込んできて引き離そうとするが、疲れすぎていて逆に二人に寄り掛かってしまう。かえって三人の少女は密着する。

「――す、末真さん」

明日那は困惑した顔で、自分を追ってきた友人を見つめる。末真も見つめ返してくる。

「ご、ごめん――で、でも……ああ――」

ふらつく末真を、横から成城がしっかりと抱きかかえて支える。

「あ、ありがとう——えと」

「成城です。成城沙依子」

「あの、あなたは——」

「明日那の、部下らしくて」

と成城が言いかけたので、明日那はあわてて、

「い、いや——バイトの！　そう、バイト先の知り合い！　それでちょっとトラブっちゃって、それだけのことで、だから——もう仲良し、よね？」

と言いながら成城を見つめる。少しぼーっとしていた成城は、こくん、とうなずいて、

「許してもらえた——みたいです」

と末真に言うと、

「ああ、そう——良かったあ……」

と末真は疲れがどっと襲ってきたみたいで、くたくたとその場に崩れ落ちた。明日那と成城がそれを両脇から支える。

こんなになるまで、必死で自分のことを追ってきてくれたのか……明日那はなんだか、胸が熱くなるのを感じた。

blank/7——泡沫／夢幻

……この人の生死を弄ぶような無責任な噂は、
しかし同時にあることを人に突きつけている。
それは自分は“死神”に殺してもらえるほどに懸命に生きているか、
錆びついていないかという問いかけであり——

——早見壬敦〈仮称ブギーポップ〉

1.

　バビロン通りにおける集団昏睡《こんすい》事件は、最終的にガス漏れによる中毒症状ということでケリがついた。既に閉店し、管理者が転居してしまっていて責任の所在が曖昧だった建物からの不始末ということで、警察でも書類上は捜査を続行するものの、イベントに参加していた人々からは〝これで今後は中止というのが一番困る〟という意見が大多数で、被害届がひとつも出なかったため、深刻な負傷者が皆無《かいむ》だったこともあり、実質的には不動産業者に厳重注意という程度の処置で終わった。


「――実際に、何が起こったのか不明のままだしな」

　バーゲン・ワーゲン・シュバルツが渋い顔で言うのを、成城はどこかぼんやりとした顔で、

「はあ」

　と生返事《なま》で応じる。その横で不破明日那も煮え切らない顔で、

「とにかく――状況は終了したらしいわ。問題はなくなった」

　と言うと、シュバルツは苦笑して、

「まあ、おまえが裏切っていなかったのが唯一の収穫だな、なあ不破明日那」

なっていた。

と、わざと彼女のことを普通人としての名で呼んだ。コードネームで言わないことが嫌味に

「詳しい報告は後でまとめて出すわよ。とにかく色々と前後関係の混乱がまだ残っていて、整理が必要だから」


「ああ――それなんだが」

シュバルツは真顔に戻って、首を横に振りながら、

「もう我々は、おまえとは任務が重ならないことになりそうだ。だから報告はこっちに回さなくてもいい――それは規定違反になるだろう」

と告げる。明日那は少し眉をひそめて、

「何か、任務が回ってきたのね――かなり緊急の、戦闘任務か」

と言うと、シュバルツは少し改まって、

「おまえらは〝ピート・ビート〟というヤツと一緒になったことがあるか？」

と質問してきた。明日那と成城が首を横に振ると、シュバルツは、そうか、とうなずいて、

「いずれにせよ――これからは別々だ。お互いに次は敵にならないことを祈ろう。良かったな、フットプリンツ――不破明日那が戻ってこなかったら、おまえはもう始末されていたはずだった」

と言いながら、ぱっ、と跳躍して、一瞬でその場から消えた。

「――」

成城はぼんやりとした顔のままで、特に反応しない。明日那はため息をついて、

「――あなた、まだ何か隠していることはないの？」

「さあ――想い出せないから」

「やれやれ――こっちも同じだから、強く言えないのよね……」

ぼやいている彼女のポケットで、携帯電話が着信を告げる。あー、と少し顔をしかめて、彼女は電話に出る。

「なに？」

〝ああ、明日那――その、ほんとうに私たちは戻らなくていいのかしら？〟

声は彼女の母親のものだ。明日那は嫌そうな顔で、

「だからいいって言ってるでしょう。学校の転校手続きも私がすませたから、もうパパとママはずっとそっちにいればいいのよ。私も明日には着いているから」

と言う。あの両親は、彼女の実の親である。ただし明日那が小学生の時に、大事故に遭って肉体を統和機構に生体改造されることで生き長らえて以来、ずっと娘が行う危険な活動に付き合わされ続けているのだった。明日那はちょっと悪いな、と思いつつも、やっぱり干渉されると鬱陶《うっとう》しい。

〝ここ一年くらい、あなたはずっとおとなしかったから――安心していたんだけど、急に、置

き手紙だけ残して私たちだけ引っ越せ、とか上の人に言われて、すっかり混乱しちゃって――なんかあなたも、またキツイ感じになっちゃって〃

「だからもうその件は片付いたから。あの家に居続けるのも潮時だったし――もういいでしょ。じゃあね」

明日那はほとんど舌打ちしそうな調子で話を終わらせると、相手の返事を待たずに電話を切った。

「いいの？」

「なにがよ？　別に今回だって、親を巻き込んだ訳じゃなかったのよ――なにが悪いのよ？」

ついムキになって言いつのってしまうが、成城はやっぱりぼんやりした顔である。ああもう、と明日那は頭を乱暴にがりがりと掻いた。

「あなたと話していると、なんだか調子狂うわ――まだ、自分に記憶が戻っていないみたいな気分になる……」

「このまま行っちゃうの？　いいの？」

「だから――」

「由紀子には、なんにも言わないでいいの」

そう言われて、明日那の眉が少し曇った。しかしすぐに首を振って、

「だから黙って行った方がいいのよ――彼女とは所詮《しょせん》、住む世界が違うんだから」

「一番、熱心だったのに」

「だからこそ、ますます会っちゃまずいでしょ。それに——ちょっといい気味、って気もしない？」

にやりと笑う。

「だってあの娘、意味もなくやたらと偉そうだったじゃない。これで少しはおとなしくなるかも、って思うと、なんか愉快じゃない？」

成城は、ぼーっとした顔をしていたが、やがて、

「……確かに」

と言って、それからちょっとだけ寂しそうな表情を見せて、

「でも、残念……それを見られないのは」

と呟いた。明日那も吐息をついて、

「そうね——」

と同意した。

2.

「…………」

狭間由紀子は、ぼんやりと空を眺めていた。放課後の空は少し曇っていて、それを見つめる由紀子の眼もやはり澱《よど》んでいる。

下校するため、校門へ向かって行こうとしたところで、

「……あ」

と前方にいる生徒に気づいて、やや焦り気味にきびすを返して戻ろうとしたところで「あっ」という声が後ろから聞こえてきた。

「由紀子?　ねえ、ちょっと――」

と呼びかけてきて、追いかけてきたのはもちろん、彼女がここ数日ずっと避け続けてきた相手の、末真和子だった。

聞こえないフリをして、校庭の方に回り込んで逃げようとしたが、末真はどこまでも追いかけてきて、とうとう校舎裏のところで摑まってしまった。

「ねえ由紀子、ちゃんと話をしましょうよ」

末真はこっちをまっすぐに見つめてくる。昔から苦手な眼である。

「なによ――こっちには用なんかないわよ」

眼を逸らしながら吐き捨てるように言うと、肩を摑まれて、無理矢理正面を向かされた。

「な――なによ。あんた、私のことなんて馬鹿だと思ってんでしょ。放っといてよ」

ふてくされたような言い方になってしまう。末真はそんな由紀子の抵抗を意に介さず、

「不破ちゃんが急に転校しちゃったけど――なにか知ってる？」

と詰問してきた。しかし由紀子には応えられることが何もない。

「し――知らないわ」

「そんなはずないでしょ。由紀子、あなた不破ちゃんとこのところずっと一緒だったんでしょ。先週の騒ぎのときも」

「だから――あれから会っていないわ」

「いったい何があったのよ？　成城さんって人とも知り合いなの？　あの二人がケンカしていたほんとうの理由はわかる？」

「だから、わかんないって言ってるでしょ！」

強い声を出して、相手を突き飛ばす。しかし末真の方はひるみもせず、

「ねえ由紀子――あなた、怒ってる？」

「そうよ！　こんな風に変に絡まれて――」

「そうじゃなくて――不破ちゃんに対して怒っているんじゃないの。彼女と成城さんと、あの二人に腹を立てている――そうなんじゃない？」

静かな口調で、末真は言った。うっ、と由紀子は言葉に詰まる。

「あ、あんな奴ら、別に――」

強がろうとして、その語尾が震え出す。

「別に……」

それ以上、言葉が出てこない。代わりに頰を伝うものがある。

涙だった。

気がついたら、両眼の涙腺が開いていて、しょっぱい水がこぼれ落ちている。

「あいつらなんか……あいつら……」

声も掠れて、自分でも何を言っているのか聞き取れない。

末真はそんな彼女をしばらく見つめていたが、やがて突然、由紀子の身体をぎゅっ、と抱き寄せた。

それは力強いのに、優しい抱擁だった。その肌の温もりに触れた瞬間、由紀子の中でなにかが弾けた。

「——うわあああああああん！」

大声で泣き出してしまった。

「ひ、ひどいわ、ひどいよ、あいつら——勝手にさあ、黙って行っちゃってさあ、私のこと、置いてけぼりにして——うわあああん！」

わめき散らしながら、涙が止まらない。

「うんうん」

末真は曖昧な相槌《あいづち》を打ってくる。由紀子は彼女にしがみつきながら、

「な、なによ末真──あんた事情もわかんないのに、ううう、適当に、ううっ、わかったフリなんか、うううっ──」

「うんうん」

「あ、あの野郎、明日那の馬鹿野郎──あいつ、あんなに大ボケ野郎だったのに──成城も、何言ってんのか全然はっきりしねー癖に──馬鹿野郎、馬鹿野郎、馬鹿野郎……」

時々甲高《かんだか》くなる声は、すぐに低く沈んでしまう。

「うんうん」

「畜生《ちくしょう》、畜生、畜生──うううう……」

「うんうん」

「……だからわかんない癖に、適当に──」

「うん、わからない。でも由紀子が泣いてるのはわかるよ。泣きたい気持ちがあるんだってわかる。大ッ嫌いなはずの、弱みとか見せたくないはずの私の前でも泣いてしまうくらいに、切ない気持ちになっているのは、そのことだけはよくわかるわ──置いてけぼりにされる寂しさは、私にもわかるから」

「ホントに？」

「うん。私も、人に言いたいことが全然言えないから──すごくお礼を言いたい人がいるのに、その人は全然、そういうことを聞いてくれなくって、気持ちがずっと宙ぶらりんだから」

「そんなの――きっと大したことじゃないわ」

「かもね。でも私にはとても大事なの。だからきっと、今の由紀子のつらさも、誰にもわからなくても、とっても悲しいんだと――それだけはわかるわ」

優しい声で慰められながら、頭を撫でられていたら、由紀子はだんだん――

「……バッカみたい」

という気になってきた。

「あいつらも馬鹿だけど、私も馬鹿みたい……いったいどうなりたかったのか、全然深く考えていなかっただけだったわ、でも……」

「でも――でしょ？」

「そうね、でも――だわ。あは、何言ってのかしら、私。ほんとバッカみたい……あはは」

まだ涙は止まらなかったが、由紀子はひきつるように笑い出した。何がおかしいのか自分でもよくわからなかったが、なにかがとてもおかしいと思った。

「末真、あんたにムカついていたのも、なんだか馬鹿らしくなってきたかも、ね……でも私、ほんとに許せなかったんだからね」

「いや、だからあれは――いや、悪かったけど。でもやっぱり、私は霧間《きりま》誠一《せいいち》は、評論の方が本職だと思うから」

「だからそれが浅いっていうのよ。あの作家は、絶対に小説の方が本気で、傑作なんだから

——そんなこともわかんない癖に、いっぱしの読書家ズラしてさ、あんたは——」

「ああもう、わかったわよ。ごめんなさい。私が甘かったわ。これからは小説の方も読もうって考えるわ」

「そうそう——最初からそう言ってれば良かったのよ。モメなくてすんだのに……」

「その代わり由紀子、オススメの作品とか、読み方のコツとか教えてよ。あの先生の小説ってなんか文章がまどろっこしいっていうのか、焦点がぼけてるんだもの」

「しょうがないわね……まったく世話が焼けるわ——」

由紀子はなおも泣きながら、末真にしがみつきながら、嗚咽《おえつ》しながら笑っている。

末真も微笑んでいる。震える由紀子の頭をゆっくりと撫でてやる。

二人の少女の、そこだけ周囲から切り離されたような空間——そこに、かなり強引に横から割り込んでくる声があった。

「なあんだ——泣いたりするんだ、あんたは。なんかガッカリだな」

男の声だった。その不躾《ぶしつけ》な響きに、二人はそっちの方を反射的に見る。

そこに立っていたのは、諸山文彦だった。

3.

「いや幻滅したなぁ。結局つまんねーヤツじゃん」

最初は不破明日那をストーカーしていた少年――その彼が白けた顔をして、由紀子のことを冷たい眼で見つめている。

「おまえ――」

由紀子が口を開こうとしたところで、文彦は、

「いや、もういいよ、あんたは。所詮は普通の女の子どまりだ。わざわざチェックする必要はないわな。さよならだ」

と一方的に言って、そしてきびすを返して立ち去ろうとする。

「ちょっと――！」

とその失礼さに怒った末真が彼を呼び止めようとしたところで、気づく。

少年の前に、一人の少女が立っている。末真と一緒に下校しかけていた友人が、こっちを向いて立っている。

宮下藤花が、去ろうとする諸山文彦を静かな眼で見つめている。

「――」

その友人の表情は、なんだか友人でないようで、末真は奇妙な違和感に捉えられた。

「ああ……あなたか」

諸山文彦は不思議なほどに落ち着いた声で、藤花に向かって歩きながら、小声で話しかける。

「まあ、あなたにはわかるだろうね――不破明日那を僕が監視していた、その真の理由を――それを最初に命令したのが、誰だったのかを」

「――――」

「いや、僕の記憶の中でも、もう曖昧になってしまっているよ――きっとこれもすぐに消えてしまうんだろうね。でも……」

文彦は、宮下藤花と自分の間の空間を見つめる。

まるでそこに、自分たち以外に誰か、もうひとりいるような眼で見つめる。

そこに立っている――誰の記憶にも残らず、誰にも理解できない何者かが。

「でも――人に意思が、想像力がある限り、いつでもそれは繰り返されることになる。突破するそのときを求めて――」

そのあまりにもささやかな声は、果たして文彦から発せられたものだったのか、それとも風が偶然にも反響させた空気の振動だったのか――すべては浮かんでは消える泡沫のように、判別できないうちに消えていった。

「………」

少年が接近してきて、交差して、立ち去るのを、宮下藤花は黙って見送る。

「……藤花？」

末真がおずおずと声を掛ける。

「今、なにか話してたの？　こっちにはよく聞こえなかったけど……」

この問いかけに、宮下藤花は幽かに首を振るだけで、なにも応えようとはしなかった。校舎の裏、校庭の隅では、放置されたままの様々な用具が雨ざらしになっていて、そこから錆の臭いが漂っていた。

"Paradigm Rust" closed.

どんなに永遠に続くように設計された都市も、
どんなに完璧を追究して構築された枠組みも、
いずれは古びて崩れ去る。
その前に浮かんでくるはずの錆を見つけることは、
現実を敢えて無視して、
妄想に可能性を見出すことでしか叶わないだろう。

——霧間誠一〈VSイマジネーター〉

あとがき――心の内側にあるものは

多重人格とまではいかなくても、誰しも自分の心の中に〝もうひとりの自分〟みたいな存在がいると思う。明日までにやらなければならないことがあるのに、心の中のヤツが「いや、大したことないよ。そんなにムキになってやらなくても」と囁いてくるので、ついサボってしまった、みたいなことは誰にでもあるのではないか。つーか僕にはあるんですけど。このときの説明が実に面倒である。いや僕はやろうと思ったんですけど、とか言っても相手にはなんのことやらわからないし、そもそも単に怠けたかっただけであることも事実なのであるが、それでも真実の内心として〝あいつがそう言ったんだよなー〟という感覚もすごい本音ではあるのだった。心の中の天使と悪魔の葛藤《かっとう》、とかよく言うが、少なくとも僕の場合は囁いてくるヤツは常に一人であって、良心とか悪心《あくしん》とかはあんまし関係ない気がする。

僕は子供の頃のことをろくに覚えていない人間で、担任の先生の名前とかクラスが何組だったとか、ほぼ忘れてしまっているのであるが、逆にどうでもいいことをいつまでも執拗に記憶し続けていたりする。その区別をどうやって付けているのかは当然、自覚はできないのだが、膨大なことを放り投げるようにして忘れていることは確かである。その記憶は完全になくなってしまったのかというと、それも違う気がする。突然に脈絡なく、いきなり昔のすげえ嫌なことを思い出してしまって、どうしようもなく腹立たしくなったり自己嫌悪に駆られたりするのは、忘れているのではなく、そのフリをしているだけなのだろう。で——ここでハタと気がつくのであるが、心の中にいるもうひとりの誰かというのはこの〝忘れたことにしている〟記憶の中からやってくるヤツなのではなかろうか。

基本的に世界というのは人間の都合のいいようにはできていない。記憶しておいた方がいいことと、忘れるのが賢明だということの区別を人がしていたとしても、世の中の方はそんな判断をちっとも尊重せず、大抵の場合は〝忘れる方が悪い〟という残酷な裁定《さいてい》を下すだけで、その逆はあんまりない。後生《ごしょう》大事に抱え込んでいた想い出の数々は肝心の時にはちっとも役に立ってくれず、ちょっと忘れていたたったひとつのことで多くが台無しになってしまう。そのプレッシャーで疲れ果て、ますます色々と忘れていくし、忘れられていく。永遠に続くと思っていたつながりが、気づいたらとても薄いものになってしまっていて、どうして以前はあんなに関係が濃厚だったのか、と首をひねることになってしまう。それだけだとあんまりだなあといつも心のどこかで感じているから、ふっと気が緩んだときに我々は、心の中にいる誰かの声を聞いてしまう。それは天使でも悪魔でもなく、単に忘れてしまった友人と自分の間にあった空気が、そのときの気分が閉じこめられていて漏れだしてきたようなものかも知れない。どこから来たのかもはや想い出すこともできないが、それでもそれは、どこかで我々の心の安定を守ってくれている、そういうものではないだろうか。

……しかしここで問題なのは、忘れてしまうようなことの大半はやっぱりどうでもいいことな訳で、つまりその記憶から来ている感覚というのも、適当でいい加減なものである可能性がとても高いということである。心の中の声に従って、大事なことをすっぽかした後に残るのは後悔だけであり、そういう失敗の記憶に限っていつまでも消えてくれなかったりするのである。やれやれ。堂々巡りですね。以上。

（つまりこれは、あれこれヤヤコシイことを延々と引っ張ることの言い訳なのか？）
（いやもうその後悔は忘れました、ってことで。まあいいじゃん）

BGM "GATES OF BABYLON" by Rainbow

◉上遠野浩平著作リスト

「ブギーポップは笑わない」（電撃文庫）
「ブギーポップ・リターンズ　VSイマジネーターPart1」（同）
「ブギーポップ・リターンズ　VSイマジネーターPart2」（同）

「ブギーポップ・イン・ザ・ミラー「パンドラ」」(同)
「ブギーポップ・オーバードライブ　歪曲王」(同)
「夜明けのブギーポップ」(同)
「ブギーポップ・ミッシング　ペパーミントの魔術師」(同)
「ブギーポップ・カウントダウン　エンブリオ浸蝕」(同)
「ブギーポップ・ウィキッド　エンブリオ炎生」(同)
「ブギーポップ・パラドックス　ハートレス・レッド」(同)
「ブギーポップ・アンバランス　ホーリィ&ゴースト」(同)
「ブギーポップ・スタッカート　ジンクス・ショップへようこそ」(同)
「ブギーポップ・バウンディング　ロスト・メビウス」(同)
「ブギーポップ・イントレランス　オルフェの方舟」(同)
「ブギーポップ・クエスチョン　沈黙ピラミッド」(同)
「ブギーポップ・ダークリー　化け猫とめまいのスキャット」(同)
「ブギーポップ・アンノウン　壊れかけのムーンライト」(同)
「ブギーポップ・ウィズイン　さびまみれのバビロン」(同)
「ビートのディシプリン　SIDE1」(同)
「ビートのディシプリン　SIDE2」(同)
「ビートのディシプリン　SIDE3」(同)

「ビートのディシプリン　SIDE4」（同）
「冥王と獣のダンス」（同）
「機械仕掛けの蛇奇使い」（同）
「ヴァルプルギスの後悔　Fire1.」（同）
「ヴァルプルギスの後悔　Fire2.」（同）
「ヴァルプルギスの後悔　Fire3.」（同）
「ヴァルプルギスの後悔　Fire4.」（同）
「螺旋のエンペロイダー　Spin1.」（同）
「ぼくらは虚空に夜を視る」（徳間デュアル文庫）
「わたしは虚夢を月に聴く」（同）
「あなたは虚人と星に舞う」（同）
「殺竜事件」（講談社ノベルス）
「紫骸城事件」（同）
「海賊島事件」（同）
「禁涙境事件」（同）
「残酷号事件」（同）
「酸素は鏡に映らない　No Oxygen, Not To Be Mirrored」（同）
「私と悪魔の100の問答　Questions & Answers of Me & Devil in 100」（同）

「戦車のような彼女たち　Like Toy Soldiers」（同）
「酸素は鏡に映らない」（講談社ミステリーランド）
「しずるさんと偏屈な死者たち」（富士見ミステリー文庫）
「しずるさんと底無し密室たち」（同）
「しずるさんと無言の姫君たち」（同）
「騎士は恋情の血を流す」（富士見書房）
「ソウルドロップの幽体研究」（祥伝社ノン・ノベル）
「メモリアノイズの流転現象　ソウルドロップ奇音録」（同）
「メイズプリズンの迷宮回帰　ソウルドロップ虜囚録」（同）
「トポロシャドゥの喪失証明　ソウルドロップ彷徨録」（同）
「クリプトマスクの擬死工作　ソウルドロップ巡礼録」（同）
「アウトギャップの無限試算　ソウルドロップ幻戯録」（同）
「コギトピノキオの遠隔思考　ソウルドロップ孤影録」（同）
「恥知らずのパープルヘイズ　—ジョジョの奇妙な冒険より—」（集英社）
「ぼくらは虚空に夜を視る」（星海社文庫）
「わたしは虚夢を月に聴く」（同）
「あなたは虚人と星に舞う」（同）
「しずるさんと偏屈な死者たち」（同）

本書に対するご意見、ご感想をお寄せください。

ファンレターあて先
〒 102-8177　東京都千代田区富士見 2-13-3
電撃文庫編集部
「上遠野浩平先生」係
「緒方剛志先生」係

本書は書き下ろしです。

電撃文庫

ブギーポップ・ウィズイン
さびまみれのバビロン

上遠野浩平《かどのこうへい》

◆◇◇

2013年9月10日　初版発行
2024年11月15日　4版発行

発行者　山下直久
発行　株式会社KADOKAWA
〒102-8177　東京都千代田区富士見2-13-3
0570-002-301（ナビダイヤル）
装丁者　荻窪裕司（META＋MANIERA）
印刷　株式会社KADOKAWA
製本　株式会社KADOKAWA

●お問い合わせ
https://www.kadokawa.co.jp/（「お問い合わせ」へお進みください）
※内容によっては、お答えできない場合があります。
※サポートは日本国内のみとさせていただきます。
※ Japanese text only

※定価はカバーに表示してあります。

ISBN978-4-04-891870-1　C0193　Printed in Japan

電撃文庫　https://dengekibunko.jp/

電撃文庫創刊に際して

文庫は、我が国にとどまらず、世界の書籍の流れのなかで〝小さな巨人〟としての地位を築いてきた。古今東西の名著を、廉価で手に入りやすい形で提供してきたからこそ、人は文庫を自分の師として、また青春の想い出として、語りついできたのである。

その源を、文化的にはドイツのレクラム文庫に求めるにせよ、規模の上でイギリスのペンギンブックスに求めるにせよ、いま文庫は知識人の層の多様化に従って、ますますその意義を大きくしていると言ってよい。

文庫出版の意味するものは、激動の現代のみならず将来にわたって、大きくなることはあっても、小さくなることはないだろう。

「電撃文庫」は、そのように多様化した対象に応え、歴史に耐えうる作品を収録するのはもちろん、新しい世紀を迎えるにあたって、既成の枠をこえる新鮮で強烈なアイ・オープナーたりたい。

その特異さ故に、この存在は、かつて文庫がはじめて出版世界に登場したときと、同じ戸惑いを読書人に与えるかもしれない。

しかし、〈Changing Times,Changing Publishing〉時代は変わって、出版も変わる。時を重ねるなかで、精神の糧として、心の一隅を占めるものとして、次なる文化の担い手の若者たちに確かな評価を得られると信じて、ここに「電撃文庫」を出版する。

1993年6月10日
角川歴彦

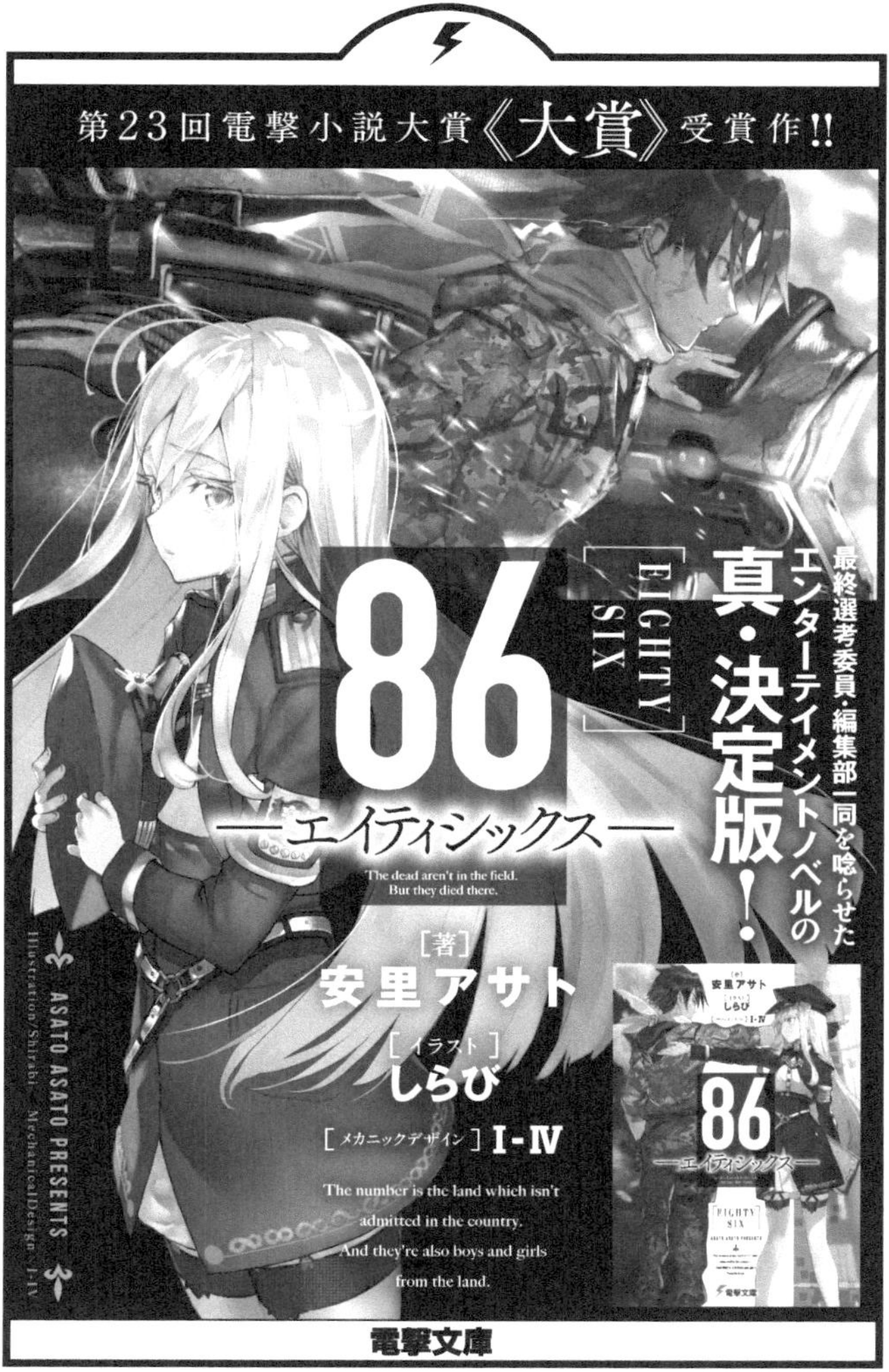
第23回電撃小説大賞《大賞》受賞作!!
最終選考委員・編集部一同を唸らせた
エンターテイメントノベルの
真・決定版！
[EIGHTY SIX]
86
—エイティシックス—
The dead aren't in the field.
But they died there.
[著]
安里アサト
[イラスト]
しらび
[メカニックデザイン] I-IV
The number is the land which isn't
admitted in the country.
And they're also boys and girls
from the land.
ASATO ASATO PRESENTS
Illustration/Shirabi Mechanical Design/I-IV
電撃文庫

SWORD ART ONLINE
ソードアートオンライン
川原 礫
イラスト/abec
「これは、ゲームであっても遊びではない」
《黒の剣士》キリトの活躍を描く
究極のヒロイック・サーガ!
電撃文庫